CB025448

Para

com votos de paz.

/ /

NOTA DA EDITORA

A Bíblia está entre nós há muito tempo. Foram muitos anos com cópias e traduções para quase 750 idiomas diferentes. Cada denominação cristã atualmente tem uma versão própria, com diferenças entre elas, o que pode ser averiguado com simples comparações.

A benfeitora Amélia Rodrigues, notória poetisa baiana e professora quando encarnada, do Mundo espiritual descreve-nos fatos da vida de Jesus em suas obras. Conforme já elucidado pela própria autora espiritual, suas narrativas evangélicas contêm informações "**hauridas nos alfarrábios do Mundo espiritual e nas memórias arquivadas em obras de incomum profundidade por alguns dos seus apóstolos e contemporâneos, encontradas nas bibliotecas do Mais-além, que trazemos ao conhecimento dos nossos leitores, a fim de revivermos juntos o sublime Ministério do Rei Solar a quem amamos com entranhado enternecimento**".* Portanto, no texto mediúnico proposto por ela, há informações que não necessariamente são abordadas e descritas na literatura terrena.

---

* FRANCO, Divaldo; RODRIGUES, Amélia [Espírito]. **A mensagem do amor imortal**. 1. ed. Salvador: LEAL, 2008, Prefácio. Vide também as obras *Primícias do Reino* (Prólogo) e *Luz do mundo* (Antelógio).

DIVALDO FRANCO
PELO ESPÍRITO AMÉLIA RODRIGUES

PRIMÍCIAS DO REINO

SÉRIE AMÉLIA RODRIGUES – VOL. 1

EDITORA LEAL

SALVADOR
1. ED. ESPECIAL – 2024

COPYRIGHT ©(1967)
CENTRO ESPÍRITA CAMINHO DA REDENÇÃO
Rua Jayme Vieira Lima, 104
Pau da Lima, Salvador, BA.
CEP 412350-000
SITE: https://mansaodocaminho.com.br
EDIÇÃO: 1. ed. – 2024
TIRAGEM: 1.000 exemplares
COORDENAÇÃO EDITORIAL
Lívia Maria Costa Sousa

REVISÃO
Iana Vaz
CAPA E MONTAGEM DE CAPA
Ailton Bosco
EDITORAÇÃO ELETRÔNICA
Ailton Bosco
GLOSSÁRIO: Cleber Gonçalves, Lenise Gonçalves e Augusto Rocha
COEDIÇÃO E PUBLICAÇÃO
Instituto Beneficente Boa Nova

PRODUÇÃO GRÁFICA
LIVRARIA ESPÍRITA ALVORADA EDITORA – LEAL
E-mail: editora.leal@cecr.com.br

DISTRIBUIÇÃO
INSTITUTO BENEFICENTE BOA NOVA
Av. Porto Ferreira, 1031, Parque Iracema. CEP 15809-020
Catanduva-SP.
Contatos: (17) 3531-4444 | (17) 99777-7413 (WhatsApp)
E-mail: boanova@boanova.net
Vendas on-line: https://www.livrarialeal.com.br

Dados Internacionais de Catalogação na Publicação (CIP)
(Catalogação na fonte)
BIBLIOTECA JOANNA DE ÂNGELIS

F825 FRANCO, Divaldo Pereira. (1927)

Primícias do Reino. 1. ed. especial / Pelo Espírito Amélia Rodrigues [psicografado por] Divaldo Pereira Franco, Salvador: LEAL, 2024.
248 p.
ISBN: 978-65-86256-57-4

1. Espiritismo 2. Psicografia 3. Evangelho
I. Título II. Divaldo Franco

CDD: 133.93

Bibliotecária responsável: Maria Suely de Castro Martins – CRB-5/509

SUMÁRIO

EXPLICAÇÃO

Atendendo as sugestões dos benfeitores espirituais, encorajo-me a esta explicação.

Com a desencarnação repentina de um irmão, em 24 de junho de 1944, em Feira de Santana (BA), nossa cidade natal, e uma série de acontecimentos dolorosos, fui levado por mãos generosas a travar conhecimento com devotada médium espírita, D. Ana Ribeiro Borges (Nanã), que, por sua vez, conduziu-me às primeiras sessões mediúnicas, nas quais a psicofonia espontânea desabrochou em mim.

Católico praticante, durante muitos meses relutei entre a antiga convicção religiosa e as elucidações claras que o Espiritismo me oferecia sobre os problemas da vida, as origens do ser, as provações, o destino através da reencarnação.

Transferindo residência, logo depois, para Salvador, iniciei-me, por volta de 1947, por orientação dos devotados amigos espirituais, no estudo de *O Livro dos Espíritos*, de Allan Kardec, bem como nas demais obras da Codificação. Refiro-me ao estudo, e não à leitura pura e simples, porquanto desde as primeiras horas esses abnegados instrutores do Mundo espiritual referiram-se à Obra

Kardequiana como profunda, excelente, profundidade e excelência essas que eu mesmo constataria lentamente, com o passar dos anos, dedicando-lhe estudo sistemático e carinhoso, durante toda a vida.

Em março de 1948, estando em viagem de férias, na residência de confrades amigos, na cidade de Aracaju (SE), fui convidado a proferir alguns comentários na sessão hebdomadária da União Espírita Sergipana, convite esse feito pelo seu então presidente. Era a primeira vez que me apresentava em público e, dominado por compreensível constrangimento, demorei-me impossibilitado de proferir uma única palavra, embora o número de pessoas presentes não excedesse a quinze. Naqueles minutos de tormento íntimo, que pareciam não ter fim, vislumbrei a presença de um Espírito amigo e escutei-lhe a voz abençoada em tom incisivo: "Fala! Falaremos por ti e contigo". Imediatamente, destravaram-se-me a língua, a voz e, emocionada e celeremente, "falei" por quase 40 minutos.

Assim me iniciei nas singelas tarefas de exposição evangélica e doutrinária, às quais, à mercê de Deus, encontro-me vinculado até o momento.

Todas as vezes que era convidado a tecer comentários sobre o Evangelho sempre tive a impressão de ver os cenários dos acontecimentos, as personagens, como numa tela de cinemascópio; e embora o vocabulário muito limitado, sob a forte inspiração que me dominava nesses momentos, era-me e é-me possível descrevê-los e reproduzir os diálogos expressivos, em narrativas emocionantes e vivas. Vezes outras, para minha própria surpresa, sentia-me como que, momentaneamente, fora do corpo físico, e enquanto falava automaticamente, como ainda hoje acontece, sentia-me um espectador, não produzindo qualquer esforço mental de inteligência ou memória durante todo o tempo da "palestra", surpreendendo-me com as citações e o conhecimento de fatos que, no estado normal, me são inteiramente ignorados.

Em 1949, estando em Muritiba, cidade próxima desta capital, na residência dos confrades Sr. e Sra. Rafael Veiga, em uma sessão presidida pelo coidealista Abel Mendonça, pela primeira vez senti imperiosa vontade de escrever, vontade essa acompanhada de estranha sensação no braço, bem como de uma ansiedade de difícil descrição. Providenciados papel e lápis, escrevi, então, dominado pelo mesmo estado de espírito, com celeridade, tendo começo nessa ocasião, despretensiosa e involuntariamente, a faculdade psicográfica de que me encontro investido.

Anos mais tarde, à medida que o exercício normal da faculdade medianímica, nas sessões semanais do Centro Espírita Caminho da Redenção, ensejava-me melhor desenvoltura, os amigos espirituais, ao término de cada reunião mediúnica, ditavam uma página de comentários sobre o ocorrido durante os trabalhos, concitando-nos todos, invariavelmente, ao estudo e à prática do Espiritismo, sem qualquer jaça, consoante os ensinos substanciais de Allan Kardec.

No mesmo ano de 1949, como já proferisse, no Centro Espírita Caminho da Redenção, pequenas palestras evangélicas e doutrinárias do Espiritismo, sob a inspiração desses mesmos abnegados amigos espirituais aos quais devo as melhores instruções da minha vida, o melhor carinho e a mais constante assistência, sugeriram esses benfeitores assíduos o trabalho de comunhão com a infância menos favorecida, surgindo os planos para a Mansão do Caminho, que foi inaugurada a 15 de agosto de 1952, agasalhando, na atualidade, em um núcleo onde se erguem 10 lares-família, 82 crianças sem pais, e que é nossa abençoada oficina de amor fraternal.[1]

Muitas e reiteradas vezes, amigos e confrades, nestes anos de pregação espírita e evangélica, têm-me solicitado trasladar para letra de forma as palestras proferidas, ou escrever os temas abordados. Na impossibilidade de fazê-lo, reconhecendo as dificuldades da "arte de escrever", jamais acalentei qualquer aspiração nesse particular. Qual acontece nas palestras, a produção escrita por meu intermédio é sempre ditada pelos benfeitores desencarnados.

Há menos de um ano, a devotada amiga espiritual Amélia Rodrigues, que na Terra foi abnegada e instruída mestra, informou-me de que, oportunamente, reunira material para um pequeno livro, estudando diversos dos temas, antes abordados em palestras – algumas dessas palestras por ela mesma inspiradas, ao lado de M. Vianna de Carvalho e outros lidadores da Esfera espiritual –, e, bondosamente, ditou por psicografia todas estas páginas na presença dos frequentadores das sessões mediúnicas do citado Centro Espírita Caminho da Redenção, agora reunidas em volume.

1. Na data desta edição os lares-família já haviam sido transformados em escolas (nota da Editora).

Profundamente reconhecidos ao Mestre Jesus por todas as dádivas com que nos há enriquecido o Espírito e o coração, agradecemos, comovidos, aos benfeitores espirituais generosos e sábios que nos têm inspirado e socorrido, ao mesmo tempo que pedimos escusas aos leitores que nos honrarem com a sua atenção e paciência, formulando votos de paz para todos nós.

Divaldo Pereira Franco

Salvador, 26 de fevereiro de 1967.

PRÓLOGO

Mostrai-me uma moeda. De quem tem a imagem e a inscrição? E, respondendo eles, disseram: De César. Disse-lhes, então: Dai, pois, a César o que é de César, e a Deus o que é de Deus.
(Lucas, 20: 24 e 25)

Nesse vigoroso e expressivo diálogo, defrontam-se dois reinos em litígio: o material e o espiritual.[2]

A efígie de Augusto e as inscrições na moeda de trocas e de valor aquisitivo representavam o poder temporal: as hostes guerreiras vencendo cidades, as glórias efêmeras de trânsito breve, as fronteiras ensanguentadas espalhadas por toda parte, o luxo, o gozo, as ambições, o crime desenfreado, as vaidades e a morte...

O imperador, alçado ao poder por uma série intérmina de acontecimentos imprevisíveis, estendia sua força por todos os rincões e estava presente em todo lugar. O sonido das suas moedas significava grandeza, abastança, poder.

O Sol não interrompia sua marcha sobre as terras do fulgurante império.

Jesus, no entanto, era o Príncipe de outro reino, aquele reino de paz e justiça onde a sabedoria sublima as aspirações. Imenso reino além da Terra, cujos alicerces, entretanto, consubstanciam-se na argamassa da terra.

2. Lucas, 20: 24 e 25 (nota da autora espiritual).

Augusto semeava o terror, o ódio, devastava...

Jesus trazia o convite enérgico e desataviado à escolha, ao dever maior do amor.

O primeiro combatia como as águias: inesperadamente, com violência, astúcia, impiedade.

O segundo semelhava-se à pomba mansa, mensageira da paz.

Os dois reinos tinham e têm bem definidas finalidades, perfeitamente delineados roteiros.

Augusto reinava; Ele, porém, viera ter com os homens para oferecer as primícias do Reino que lentamente conquistaria os amargurados e desiludidos Espíritos humanos, após os insucessos e frustrações no reino fantasista dos triunfos passageiros.

Inquirindo sobre o dono da efígie insculpida na moeda, Jesus omitia-se em reconhecer o domínio do imperador, por ser uma autoridade que lhe era dada, e não uma legítima posição, aquela que vem de Mais-alto.

Aprofundando meditações nos programas da Era Espacial, nos esquemas ultramodernos sobre a planificação da família, nos esboços ousados da Psicologia juvenil, nas arremetidas avançadas da Sociologia, que experimenta a aplicação de doutrinas perigosas, não podemos ignorar a onda avassaladora das paixões, das lutas e dos naufrágios morais.

No momento em que o homem, apesar de todas as conquistas que lhe enriquecem o parque das experiências, parece desumanizar-se, em que a volúpia da velocidade avassala todos os empreendimentos e as estatísticas apresentam índices surpreendentes nos seus diversos aspectos com a aflição que campeia infrene, sem mãos que lhe estanquem as lágrimas ou corações que se transformem em conchas vivas; desejamos, respeitosamente, testemunhar reconhecimento e afeição às células espíritas-cristãs, que se espalham, fraternalmente, abrindo suas portas à dor e ao desespero, oferecendo repouso e esperança a todos, sob a égide excelsa do Consolador.

Células que instruem, esclarecem, albergam, consolam, alimentam, iluminam, sustentam e encorajam os Espíritos atormentados, vítimas de si mesmos, do medo ou das neuroses de difícil classificação; células nas quais alguns cireneus ofertam com a própria vida as primícias daquele Reino que virá, tendo em vista o atual declínio de César, conquanto o brilho das suas últimas luzes; Reino cujas fundações há dois mil anos Ele veio lançar no sofrido solo moral do planeta.

Pensando nesses lutadores estoicos, cristãos da última hora, naqueles sofredores que o vendaval colhe e esfacela a cada instante, e naqueloutros ainda não vencidos, encorajamo-nos a alinhavar alguns pensamentos, estudos e evocações dos "ditos do Senhor" e das personagens que participam da Sua Mensagem, em despretensioso convite para o retorno às coisas simples, belas e profundas do Evangelho, hoje escassamente divulgadas, controvertidas, propositalmente ignoradas, violentamente combatidas...

Há falta de bálsamo evangélico nas realizações ditas cristãs da atualidade, fazendo pensar num Cristianismo ao qual falta o espírito enérgico e manso, suave e nobre do Cristo.

No justo instante em que o cientificismo enregela os corações e comanda as mentes com vigor inusitado, a evocação de Jesus e Sua vida, Suas palavras e feitos podem ser comparados a orvalho balsâmico depositado sobre pústula ultriz em ardência cruel.

Fazer homens fortes e puros "como criancinhas" – eis a meta do Espiritismo –, tornando-os "hoje melhores do que ontem e amanhã melhores do que hoje".

Não pretendemos realizar trabalho de exegese evangélica por nos faltarem os mínimos títulos para tão grande empreendimento.

Na literatura terrestre enxameiam "Vidas de Jesus".

Nosso esforço alinhou algumas páginas escritas com o carinho de espírito imortal após a transposição da reveladora aduana da sepultura. Objetivamos contribuir com a gloriosa obra doutrinária do Espiritismo, iniciada pelo eminente mestre lionês Allan Kardec, a quem tributamos nossos profundos respeitos e homenagens pelos ingentes esforços de restaurador da "palavra de vida", mediante o todo granítico e harmonioso da Codificação, nos tumultuados dias do século XIX e que, inalterada e atual, resiste às investidas da leviandade e da jactância dos aventureiros das questões espirituais ao longo dos tempos.

Alguns apontamentos que se alongam além das anotações evangélicas ou que apresentam comentários não insertos nos escritos da Boa-nova, extraímo-los de obras consultadas em nosso plano de atividade ou são resultado de esclarecimentos e comentários recolhidos em fontes históricas do lado de cá.

À semelhança dos dias em que Jesus viveu entre nós, os tempos atuais ensejam a restauração viva e atuante da Mensagem cristã, pois que, convertida em laboratório de experiências aflitivas, a Terra continua sendo campo rico de oportunidades para a vivência evangélica.

Há incontáveis portas de serviço esperando por nós.

Nestes dias de cultura e abastança pululam também a miséria física e moral aguardando socorro.

Faz-se necessário que repontem como primavera de bênçãos as sementes da esperança e surjam como antes novos "homens do caminho".

Esperando ter respondido ao chamado do dever, mediante a contribuição deste desvalioso conjunto de páginas, formulamos votos de êxito nas arremetidas do bem aos infatigáveis obreiros, enquanto recordamos com João que "Ele era a luz verdadeira que alumia a todo homem que vem ao mundo" (João, 1: 9), tendo a certeza de que Sua Luz, desde já, nos clareia interiormente, conduzindo-nos às sendas *redentoras do Seu Reino de amor incomparável.*

Amélia Rodrigues
Salvador, 25 de fevereiro de 1967.

RESPINGOS HISTÓRICOS

A história da Palestina é, antes de tudo, a história de um povo sofredor em luta angustiante pela sobrevivência e a paz.

Escravo por longos séculos de egípcios, babilônios e outros povos, mais de uma vez, após esforços ingentes e sanguinolentos, conseguiu a reorganização comunitária em regime teocrático, experimentando quase sempre aflições inomináveis, para perder a liberdade logo depois.

Fazendo da defesa da fé espiritual a sua política e da religião o alicerce da vida nacional, viveu sempre em comunidade fechada sob a inspiração do monoteísmo, qual ilha num convulso oceano politeísta.

Aproximadamente no ano 143 a.C., experimentando o jugo do Império Selêucida,[3] que se encontrava, então, em lutas desenfreadas com partos, romanos, egípcios e outros povos, Simão Macabeu libertou a Judeia, fazendo-se eleger, de imediato, em assembleia popular,

3. A dinastia dos Selêucidas foi fundada por Seleuco I, na Pérsia, em 312 a.C. Por volta do ano 200 a.C., os selêucidas conquistaram a Síria e os povos circunjacentes, quando, então, a Palestina lhes caiu sob o domínio (nota da autora espiritual).

general e sumo sacerdote, função esta que ficaria retida por hereditariedade na sua família: os asmoneus.[4]

Mais tarde, em 78 a.C., foram conquistadas e adicionadas à Judeia a Samaria, a Galileia, a Idumeia, a Transjordânia e outras terras, recuperando a Palestina os seus primitivos limites.

À medida, porém, que aumentavam as dimensões territoriais, diminuía o fervor religioso, enquanto o progresso grego era absorvido pela Casa Asmoniana, que então passou a sofrer a mais severa restrição e desprezo da classe dos fariseus.

Em 63 a.C., como Pompeu se encontrasse com as legiões no Oriente vitoriosamente às portas de Damasco, foi convidado pelos Israelitas para um arbitramento entre Hircano II e Aristóbulo II,[5] que disputavam a coroa. O arbitramento foi favorável a Hircano II. Esse fato deu origem à célebre campanha do apaixonado triúnviro contra Aristóbulo II, que, inconformado com o resultado do arbitramento, o enfrentou. Perdendo a batalha na Cidade Baixa, refugiou-se o rebelde no Templo, na parte Alta de Jerusalém, onde, três meses depois, foi vencido.

A vitória de Pompeu custou 12 mil judeus sacrificados e todas as terras dos macabeus, que passaram a pertencer ao Império Romano.

Depois da morte de Crasso, que saqueara a cidade em 54 a.C., novo levante foi afogado em sangue por Longino, que lhe sucedeu no governo da Síria, deportando

4. Esse período foi denominado de 2ª República Judaica, que abrange de 142 a.C. a 70 da nossa era.

5. Filhos de Salomé Alexandra, que restabeleceu a paz com os fariseus. Mesmo antes da sua morte, seus filhos Hircano II e Aristóbulo II puseram-se em renhidas disputas pela sucessão (notas da autora espiritual).

cerca de 30 mil judeus, que ficaram reduzidos a hilotas (43 a.C.). Com a morte de Antipáter, os partos, vitoriosos, invadiram Jerusalém e fizeram de seu títere, Antígono, o último dos macabeus.

Ao mesmo tempo, em Roma, o 2º Triunvirato se estabelecia, e Marco Antônio e Otávio, tendo nas mãos os destinos do Império, nomearam Herodes, filho de Antipáter, para cingir, então, a coroa de Davi (40 a.C.).

Herodes, com mão de ferro, expulsou os partos, aprisionou Antígono e o entregou a Antônio para ser executado. Logo depois, para fazer-se temido e respeitado, mandou matar todos os judeus que haviam apoiado os invasores.

O esplendor helenista atingiu, em Israel, o período áureo com Herodes.

Surgiram cidades deslumbrantes; a escultura encontrou guarida em toda parte; Jerusalém enriqueceu-se de monumentos e edifícios pomposos; foram erguidos teatros e circo. Introduziram-se as competições de atletismo, os concursos musicais e as lutas de gladiadores.

Em Cesareia foi construído um porto de mar, e valiosas doações foram feitas a Biblo, Rodes, Esparta, Atenas...

Considerando o Templo de Jerusalém construído por Zerubabel, sem o esplendor digno de Israel, mandou Herodes derrubá-lo e no seu lugar fez erguer outro maior e mais imponente.

Dissoluto e ambicioso quanto inclemente, Herodes mandou matar quantos projetavam sua sombra sobre a coroa, não poupando Aristóbulo (herdeiro legal do trono, acidentalmente morto num banho), nem Mariamne, sua segunda esposa, neta de Hircano II, irmã, portanto, de

Aristóbulo. Alguns dos próprios filhos, como Alexandre, pereceram nas mãos dos seus sicários, sendo que a Antipáter, considerado suspeito de conspiração, mandou prender indefinidamente.

Afogou em sangue quantas conspirações foram ensaiadas, e o cerco de espiões se fez tão severo que, certo dia, disfarçado no meio do povo, teria inquirido um homem sobre o que pensava de Herodes, ao que este respondera: – *Em Jerusalém até os corvos são da polícia.*

No ano 4 da nossa era, vitimado por hidropisia, febres e úlcera, desencarnou Herodes, ficando a Casa de Israel, por testamento, dividida entre os três filhos: Herodes Filipe II, Herodes Antipas e Arquelau.

Antes mesmo que se consumassem as exéquias no *Herodium*, já Arquelau, moço ambicioso, com 18 anos apenas, subjugava uma sedição, procurando logo depois, em Roma, o apoio de Augusto para um governo soberano.

Antipas, após algumas providências, igualmente viajou à Itália.

Herodes Filipe II demandou a região norte e ali se estabeleceu com segurança.

Roma, como sempre, através do imperador, escolheu a melhor política de que se utilizava entre os povos conquistados: as próprias disputas e lutas intestinas que os enfraqueciam. Arquelau foi feito etnarca da Judeia, Herodes Antipas e Herodes Filipe II, tetrarcas, cabendo ao segundo as cidades de Gaulanítida, Traconítida, Bataneia e Paneias; e, ao primeiro, a Galileia, a Pereia, onde ficavam as cidades de Nazaré, Esdrela...

Herodes Filipe I, o primogênito, neto do sumo sacerdote pelo lado materno, fora radical e definitivamente deserdado. Tentou conseguir a "mitra branca" e o "peitoral sagrado", demorando-se, no entanto, como simples sacerdote, enquanto a função ficou retida entre os seus tios-avós.

O Lago de Genesaré era nomeado pelos rabinos como o lugar que "Elohim reservou para a sua exclusiva satisfação", graças aos encantos de suas margens e às aragens frescas que espalhava. Era natural, pois, que os dois tetrarcas aí disputassem a primazia para a cidade-capital dos seus domínios. Mais poderoso em armas e dinheiro do que o seu irmão, Antipas aí mandou levantar a célebre Tiberíades, em homenagem ao imperador, num sítio onde existira anteriormente um cemitério, o que granjeou dos judeus a animosidade, que a tachavam de "impura".

Filipe transformou, da mesma forma, a antiga Pânias, aformoseando-a e enriquecendo-a, e denominou-a de "Cesareia de Filipe", situada na foz do Jordão com o lago, quase debruçada sobre as águas.

Em Roma, depois de entrevistar-se com o imperador, Arquelau conseguiu a Samaria, a Idumeia e a Judeia, tendo Jerusalém como capital dos seus domínios, ficando mais bem aquinhoados. Como semelhasse ao genitor em crueldade e astúcia, aumentou os impostos, reconstruiu cidades com o suor e as lágrimas dos súditos. Não atendendo às reiteradas solicitações do povo para que diminuísse a opressão, arrebentou uma insurreição que foi afogada em sangue, crescendo o movimento interno, que passou a objetivar a dominação romana. Notificado o imperador, por uma comissão de judeus prestigiosos, em Roma, da situação calamitosa em Jerusalém, caiu Arquelau em desgraça, sendo deposto por Augusto, que o obrigou a transferir residência para as Gálias (em Viena) sem ordem de afastar-se dali (ano 6 da nossa era).

Para Jerusalém foi nomeado, então, um procurador romano.

Como, porém, continuasse a rebelião, os romanos agiram com impiedade, mandando crucificar 2 mil judeus, como coroamento das vitórias alcançadas.

Jesus viveu a sua infância como súdito de Herodes Antipas.

Ao início do seu ministério público, a Palestina se encontrava sob a fiscalização da Síria, cujo legado era Pompônio Flaco, e o procurador romano da Judeia era Pôncio Pilatos, o quinto na série de sucessão.

Do seu palácio em Cesareia Marítima, o procurador tudo dominava, desde Don a Bethsabé.[6]

Sob a opressão, Israel apresentava três classes sociais distintas, que se diferenciavam social, política e religiosamente, admitindo diversas seitas outras, entre as quais distinguiu-se pela austeridade dos costumes dos seus membros, cordura e fraternidade a dos essênios, que tinha por norma o preceito: *O que é meu é teu.*

Governado pelo Conselho dos Anciãos, que, constituído por 72 membros, entre os quais o sumo sacerdote, legislava sobre a vida e a morte dos súditos.

---

6. Para governar esse povo de 2.000.000 de habitantes à época (calculava-se que em Jerusalém viviam 100.000 judeus), Roma mantinha 3.000 homens divididos em 3 coortes de infantaria, uma ala de cavalaria e auxiliares diversos recrutados entre sírios, samaritanos, gregos e árabes (nota da autora espiritual).

Os saduceus (*zadokim* – nome derivado de Zadok, seu líder e fundador da classe) constituíam a aristocracia feudal, encarregada dos ministérios religiosos, e zelosos observadores da aplicação rigorosa dos códigos da Torah ou Lei. Invariavelmente ricos, fruíam de consideração e destaque.

Os fariseus (*perushim* – separados) eram considerados independentes economicamente e constituíam a classe média; criam-se mais "judeus que os judeus", sendo os continuadores da severa exigência ortodoxa, na prática religiosa, inicialmente instituída pelos macabeus.

O povo (*am ha-aretz* – "pessoas da terra"), resultado da fusão entre mendigos, tecelões, trabalhadores braçais, artesãos de todas as procedências e pequenos agricultores, reduzidos à extrema miséria pelos impostos exagerados, constituía o denominado "proletariado" (como, em Roma, eram chamados os proletários). Este, o povo, era odiado pelas outras classes, sendo que o *am ha-aretz*, detestado, era mesmo perseguido e desdenhado.

Sem qualquer direito, estigmatizado pelo ódio generalizado, os *am ha-aretz* que enchiam os campos e as cidades (Jerusalém rivalizava com Roma no que diz respeito aos sem-trabalho, com a agravante de que em Roma estes recebiam o *pão* e *circo* propiciados pelo imperador, que assim os entretinha e alimentava), uniram-se num partido: o dos fanáticos, que mais tarde se dividiu em *zelotes* e *sicários* que, insurretos, perseguiam os próprios judeus simpatizantes dos romanos, aos quais apunhalavam, às vezes, na praça pública. Espalhando o terror, conclamavam à rebelião, destruindo, em consequência, aldeias e povoados que se negavam a segui-los.

Os fariseus, por comodidade, procuravam unir-se aparentemente aos romanos, embora os detestassem, e, por sua vez, fossem detestados.

Roma, através dos seus diversos procuradores, insistia em colocar no Templo de Jerusalém os símbolos do seu poder: a águia dominadora ou a estátua do imperador, motivando reações sangrentas.

Nesse ínterim, as lutas perderam a aparência política e assumiram caráter religioso, quando Teudas, um misto de Messias e libertador, conduziu o povo ao Jordão e procurou repetir a façanha de Moisés no Mar Vermelho, gerando uma chacina violenta por parte dos opressores que, inclusive, mataram o pseudomessias...

Em 66 d.C., irrompeu nova onda de libertação, com poucos resultados para os judeus. Novamente batidos e derrotados, a paz foi comprada pelo rabino fariseu Jochanan ben Sakkai, ensejando a muitos ricos a salvação. Os pequenos comerciantes, artesãos e "homens da Terra", porém, inconformados, refugiaram-se no palácio real, que foi saqueado, e lutaram até a destruição total do Templo, em 70, quando Tito mandou matar mais de 600 mil rebeldes em toda a Palestina.

Pelos fins de 132 da nossa era, sob o comando de Simeão Bar Cocheba, que se dizia o *Redentor*, os judeus tentaram novo levante e foram definitivamente *destruídos*, morrendo Cocheba, em Bithar. Os romanos mataram mais de 500 mil judeus, destruindo mais de 900 aldeias, descendo o "preço de um israelita, como escravo, a menos do valor de um cavalo".

Adriano, em todo o Império, proibiu qualquer ato religioso ou civil judeu, e o "povo eleito" sofreu a dispersão dolorosa, passando séculos sem poder recuperar-se do desastre de Bar Cocheba.

Nos sítios de Jerusalém, foi levantada a cidade pagã de Aélia Capitolina, onde predominavam os hábitos e costumes romanos...

Jamais um povo sofreu tão longo e cruel exílio!

Nesse clima de ódios de toda a espécie, entre os sofrimentos mais diversos, Jesus disseminou o amor, a liberdade, a paz, conclamando ao Reino de Deus e pregando a "não violência" até o próprio sacrifício. Sintetizando os objetivos da vida no "amor a Deus sobre todas as coisas e ao próximo como a si mesmo", fez esse legado de amor em torrentes luminosas e soberanas.

1
AS BOAS-NOVAS

O mergulho de Jesus nos fluidos grosseiros do orbe terráqueo é a história da redenção da própria Humanidade, que sai das furnas do Eu para os altos píncaros da liberdade.

Vivendo os reinados de Augusto e Tibério, cujas vidas assinalaram com vigor inusitado a História, o Seu berço e o Seu túmulo marcaram, indelevelmente, os tempos e constituíram sinal divisório da Civilização, acontecimento predominante nos fastos da vida humana.

Aceitando como berço o reduto humílimo de uma estrebaria, no momento significativo de um censo, elaborou, desde o primeiro momento, a profunda lição da humildade para inaugurar um *reinado diferente* entre as criaturas, no justo momento em que a supremacia da força entronizava o gládio e a púrpura atapetava o solo, alcatifando o piso por onde passavam os triunfadores.

E não se afastou, jamais, da diretriz inicial assumida: a de servo de todos.

Acompanhando a marcha tresloucada do espírito humano, que se encontra atado aos sucessivos ciclos dos renascimentos inferiores, na roda das paixões escravizantes, fez que pioneiros e embaixadores da Sua Morada O precedessem a cantar as glórias superiores da vida e do belo, para propiciar os sonhos de elevação e as ânsias sublimantes...

Antes d'Ele:

Hamurabi amplia os limites do seu país, em guerras cruéis, e inscreve em estelas de pedras um código, que é o primeiro de que a Humanidade tem notícia...

Krishna renova a doutrina dos Vedas, doutrina cujas origens se perdem no ignoto dos séculos, e prega a imortalidade dos Espíritos e as vidas sucessivas...

Akhenaton introduz reformas expressivas na idolatria egípcia inspirado por excelsos pensamentos...

Abraão, ligado psiquicamente ao Mundo espiritual, deixa a cidade de Ur e se torna pai de um povo...

Moisés, em comunhão com os Espíritos superiores, liberta os hebreus do cativeiro, *recebe o Decálogo* e traz ao mundo o conhecimento do *Deus Único*.

Siddhartha Gautama propõe-se à conquista do Paraíso e ilumina-se, clareando a Terra com as incomparáveis lições da renúncia a si mesmo, da paz e da concórdia.

Kung-Fu-Tsé (Confúcio) legisla moral, fidelidade, família e renova os conceitos sobre a vida...

Lao-Tsé compõe com a experiência e as renúncias, por meio de meditações profundas, o *Livro da Vida e da Virtude*...

Pitágoras, na sua admirável Academia de Crotona, após iniciação complexa, preconiza moral elevada, austeridade, pregando a doutrina dos renascimentos...

Sócrates sintetiza as ideias do Oriente e inicia o período da Filosofia nobre, alicerçada na mais elevada moral e na imortalidade da alma...

...E outros biótipos desfilam, triunfantes uns e aniquilados muitos, ampliando os horizontes da Terra para a chegada d'Ele...

...Alcibíades canta as Musas e fomenta a guerra; Marco Aurélio regista os pensamentos que fluem da mente privilegiada sob elevada inspiração de Emissários Sábios, enquanto peleja nos campos juncados de cadáveres...

Periandro se eleva à categoria de um dos sete sábios da Grécia e comete uxoricídio ignominioso...

Júlio César atrela aos pulsos o carro da destruição e se alça à condição de divindade...

Alexandre Magno conquistou o mundo sem conseguir, no entanto, intimidar os *gimnossofistas,*[7] que habitavam as margens do Indo. Apaixonado por Homero, dizia encontrar na Ilíada inspiração ao amor e à guerra que lhe dava glórias... Logo passou, e aos 33 anos sucumbiu, depois de ter vivido o correspondente a várias vidas...

Os direitos dos povos pertenciam aos dominadores, e o homem não passava de animal de carga nas garras da força.

Depois d'Ele, as hostes selvagens, em nome da hegemonia política de vândalos elevados ao poder, irrompem voluptuosas, quais labaredas humanas crepitantes e carbonizadoras, e atrás de suas legiões ficam os destroços,

7. Gimnossofistas: filósofos que, na Índia, abstinham-se de carnes, dedicavam-se à contemplação mística; sábios nus (nota da autora espiritual).

as cinzas, as dores agudíssimas das cidades vencidas e enlutadas...

Os triunfadores de um dia erigem monumentos à própria insânia, que a soberba qualifica de glória, mas que ruem quando os construtores se consomem...

...Tudo passa! A grande Esfinge tudo devora...

Tronos refulgentes, sólios esplêndidos, cortes brilhantes ao Sol, conquistas grandiosas, civilizações douradas e impiedosas, os tempos vencem...

Ele chega silencioso, pulcro e fica.

Reúne a malta dos aflitos e os agasalha ao próprio peito.

Nada solicita, coisa alguma exige.

Libertador por excelência, canta o hino da verdadeira liberdade, ensinando a destruição dos elos da inferioridade, que imana o homem às mais cruéis cadeias...

Embosca-se na carne, mas é Sol de incomparável luz, clareando o fulcro dos milênios.

Ao suave balido da Sua mansa voz, acordam as esperanças e se levantam os ideais esquecidos.

Ao forte clamor do Seu verbo, erguem-se os dias, e as horas do futuro vibram, aprofundando no cerne do mundo os alicerces da Humanidade Feliz do porvir.

Admoesta e ajuda.

Verbera, rigoroso, e socorre.

Aceita a oferenda do amor, mas não enclausura a verdade nas paredes do suborno.

Rei Celeste, comparte das necessidades dos pecadores e vive entre eles.

Permuta o contato dos anjos pela comunhão do populacho da verdejante e calma Cafarnaum, trocando os esplendores da Via Láctea pelas madrugadas rubras do lago piscoso.

Prefere os entardeceres ardentes de Jericó à epopeia célica dos astros em infinito meio-dia.

Aceita o pó das estradas ermas e calcinadas de Caná, Magdala, Dalmanuta, e as suas fronteiras, que se perdem no Sistema Solar, Ele as estreita entre o mar e o Hebron, entre a Síria e o país de Moab.

Deixa a gleba paradisíaca para tomar de um grão de mostarda e elaborar com ele uma cantata, sofrendo calor asfixiante; esfaimado, pede a uma figueira frutos que, fora de época, ela não os pode dar...

Senhor do Mundo, Causa anterior existente, deixa-se confundir na turba, na multidão esfarrapada, que em fúria busca o amor sem saber identificá-lo; na multidão, sim, na qual, sofrendo, encontra a razão do seu glorioso martírio.

Entre os sofredores, canta as mais eloquentes expressões que o homem jamais ouviu.

As Suas Boas-novas são orquestradas pela musicalidade espontânea da Natureza, no cenário das primaveras e dos verões, entre as aldeias e o lago, no coração exuberante da Terra em crescimento...

E traído, magoado, encarcerado, *vencido* numa Cruz, elege uma tranquila e luminosa manhã para ressurgir, buscando uma antiga obsidiada para dizer-lhe que a vida não cessa, e que o Reino de Deus está dentro do coração, reafirmando, insofismável, ficar "conosco todos os dias até o fim do Mundo", retornando, assim, ao Pai, onde nos espera, vencidas as refregas libertadoras da ascese em que hoje nos empenhamos com sofreguidão.

2

O PRECURSOR

A porta abriu rangendo em ferros gastos e uma figura grotesca assomou à soleira, erguendo o alfange brilhante de encontro ao retalho de luar, que invadira a estreita cela.[8]

A noite serena estava envolta em escumilha franjada de prata, e se ouviam, de longe em longe, os surdos sons reveladores da bacanal desenfreada no outro lado.

Maqueronte ou Maquero, a fortaleza sombria erguida nas cumeadas do Planalto de Moab, na Pereia, descortinava horizontes ilimitados. De um lado, o fosso do mar Morto, caindo mil e duzentos metros abaixo, e, além das imensas planícies, o Monte Nebo, donde Moisés contemplara a Terra Prometida.

Naquela torre da sinistra cidadela ele já passara dez meses de doloroso cativeiro.

---

8. Mateus, 3: 1 a 17, 11: 3 a 15 e 14: 1 a 12; Marcos, 1: 1 a 8 e 6: 14 a 29; Lucas, 3: 1 a 20 e 9: 7 a 9; João, 1: 19 a 37 e 3: 27 a 30 (nota da autora espiritual).

É verdade que não sofrera suplícios; todavia, isolado dos discípulos amados, a quem no vau de Bethabara ou nos "mananciais da paz", em Citópolis, pregava a necessidade do arrependimento e a penitência, sofria o amargor da punição indébita. Intimamente recordava suas próprias palavras dirigidas aos companheiros, quando estes, algo enciumados, falaram-lhe sobre Jesus:

O homem não pode receber coisa alguma, se do Céu não lhe for dada. Vós mesmos sois testemunhas de que vos disse: Não sou o Cristo! Mas fui enviado apenas como precursor. Quem tem a esposa, esse é o esposo. O amigo do esposo, que o acompanha, alegra-se, intimamente, quando ouve a voz do esposo. Pois, esta alegria me coube abundantemente. Convém que ele cresça e que eu diminua...

Era março de 29.

Herodes Antipas retornava da viagem encetada à Babilônia, como membro da comitiva de Tibério, que tinha à frente o legado Vitélio, para conseguir as simpatias de Artabano, rei dos medos, que vencera os partos em guerra sangrenta e cruel.

Demorando-se em Maqueronte, resolvera ali comemorar o próprio natalício, oferecendo à comitiva principesca e ociosa suntuoso festim, naquele inverno, ao invés de desfrutar o agradável clima de Tiberíades, onde passava, invariavelmente, essa quadra do ano.

Ele aguardava aquele instante e para isto se fortalecera em longas e calmas meditações.

Naqueles meses do amargo cativeiro, em hora alguma quebrantara o ânimo firme ou a coragem férrea. Não tergiversou nem jamais temeu; se muitas vidas possuísse, de uma só vez todas daria pelo direito de proclamar os dias de justiça que se avizinhavam a invectivar a degradação dos costumes que se imiscuíra na própria corte, onde o incesto e o adultério campeavam sob o beneplácito condescendente da cordialidade vulgar.

Nos dias transatos de peregrinação pelo deserto, alimentando-se frugalmente e mergulhado em profundos cismares, sentira as mãos fortes e intangíveis do Pai fortalecendo suas fibras, e *ouvira* no coração as vozes ininteligíveis dos seres angélicos, ordenando-lhe a pregação redentora, para abrir veredas por onde seguisse o Esperado...

Aquela era a hora do testemunho: sentia-o interiormente.

Experimentava estranha algidez prenunciadora do momento. Até então estivera recordando todos os acontecimentos.

Desfilaram mentalmente aqueles dias risonhos da infância feliz, sombreada apenas por secreta preocupação acerca de Deus e sobre os homens a crescer através dos dias, exageradamente pelos verdes anos da adolescência.

Quantas vezes, não poderia dizê-lo, escutando as narrativas da Lei, na Sinagoga, ou comentando os Livros Sagrados, sentira-se arrebatado pela necessidade de meditar a sós, perdido pelos áridos e difíceis caminhos das regiões ásperas do deserto montanhoso e adusto! E ao fazê-lo, quantas visões inextricáveis experimentara!... Em toda inquietação que o atormentava e em toda necessidade de que procurava fugir, sentia que os Céus o conduziam para um destino: o de preparar caminhos para outros pés... para o Messias Libertador!

Tudo na sua vida transcorrera de modo incomum. O berço fora-lhe oferecido em circunstâncias transcendentais. Seus pais receberam-no, quando já não o esperavam.

Conhecia o fato narrado pelo próprio Zacarias.

Ansioso por um filho, ele fora ao Templo orar e, ao fazê-lo, surpreendera-se pela presença de um ser espiritual que lhe disse: "Nada receies, Zacarias, pois que a tua oração foi escutada. A tua mulher, Isabel, dar-te-á um filho, ao qual porás o nome de João. Ele será para ti motivo de alegria e regozijo, porquanto será grande no Senhor".

O torpor e o receio invadiram seu pai, estranha mudez adviera-lhe, e, depois, o nascimento aguardado.

As mãos de Deus, indiscutivelmente, pousavam sobre o seu lar.

Depois...

Ao seguir para o deserto, vestiu-se como o antigo profeta Elias: uma pele de camelo no corpo, em volta dos rins um cinto de couro...

Iniciara o ministério por volta do ano 15 do império de Tibério César, sendo Pôncio Pilatos governador da Judeia, e Herodes Antipas tetrarca da Galileia...

Descera os chapadões rochosos e duros da Pereia e viera a Bethabara, perto da embocadura do Mar Morto, onde o Jordão enseja um vau de fácil acesso para as caravanas, e ali começara pregando e lavando as *impurezas* com a água do rio; expectante, porém, quanto àquele que conduziria os homens, assinalando-os com o fogo da verdade, o sinal da Vida eterna.

O clima no inverno é ali delicioso, e as águas velozes passam cantando entre os festões de canas e fetos sob a sombra de tamarindeiros cujo verdor contrasta com o deserto de fogo ardente e nu, mais adiante.

Contava somente trinta anos e estava estuante de força e vigor.

A voz tonitruante brada sem cessar: "Quem vos ensinou a fugir da cólera que vai chegar? O machado corta já as raízes das árvores. Toda a árvore que não produz bom fruto será cortada e lançada ao fogo".

A evocação fá-lo chorar: saudades daqueles dias de ação preparatória para a chegada d'Ele...

Havia quase cinco séculos que a boca profética ali se calara e uma preocupação geral dominava os corações.

O sangue das vítimas das guerras e das rebeliões incessantes, abafadas a ferro e a fogo, corria abundante e o clamor das vozes ao Senhor era ensurdecedor. O Alto, no entanto, permanecia em silêncio...

Ele se sentia, não há como duvidar, "a voz que clama no deserto" e preparava "os caminhos do Senhor". Fora assim mesmo que respondera aos judeus enviados pelos sacerdotes e levitas de Jerusalém, ao lhe indagarem se ele era o Cristo ou o Elias esperado. Naquele instante, força incomum dominara-o e nobre inflexão modulara-lhe a voz ao proclamar: "Eu batizo com água, mas no meio de vós está desconhecido de vós Aquele que virá após mim. Eu nem sou digno de Lhe desatar as correias do calçado". Isto fora em Betânia, um pouco além do Jordão, e sentira-se grande na própria pequenez.

No dia seguinte, recordava-o com os olhos nublados de pranto e indizível felicidade interior, a alva se espraiava lentamente, e a "Casa da Passagem" regurgitava de viajantes. Sob os loendros e tamarindeiros em flor zumbiam miríades de insetos, suaves olores perpassavam no ar.

Pregava as primícias do Reino de Deus com inusitada emoção.

O verbo quente, derramado em catadupas de alento esperançoso, umedecia-lhe os olhos requeimados pelo Sol ardente. Quando se movimentava no afã de arregimentar almas para o exército que preparava, vira-O de relance, descendo a borda do rio, por sobre a relva verdejante, com os vestidos brilhando de maneira incomum, tendo sobre a cabeça o *coffieh*[9] tradicional. O vaso improvisado para o banho lhe escorregara da mão e ele gritou sem poder dominar-se: "Eis o Cordeiro de Deus, que tira o pecado do mundo. Este é de quem eu dizia: após mim vem um que é maior que eu; porque existia antes de mim. Não O conhecia eu; mas, para O tornar conhecido em Israel, é que vim com o batismo d'água" e, aproximando-se, disse-Lhe:

– *Eu é que devia ser batizado por Ti, e Tu vens a mim?*

– *Deixa por agora; convém cumprirmos tudo que é justo.*

Ele falava com eloquente grandeza espiritual.

Após o ato singelo, ouviu-se uma voz, se dentro ou fora do Espírito, rememorando, não saberia dizê-lo: "Este é o meu Filho querido, no qual pus a minha complacência".

Tudo acontecera em janeiro do ano anterior e parecia tão próximo!...

9. Coffieh: espécie de turbante (nota da autora espiritual).

Ele se afastara pelo mesmo caminho por onde transitavam os rebanhos, desaparecendo entre os renques de tamareiras. Não voltara a vê-lo outra vez; não tivera a felicidade de dialogar com Ele.

Uma tranquila confiança empolgara-lhe o Espírito desde então.

Pôs-se a verberar com mais ardor contra a degeneração moral onde esta se encontrasse.

Foi visitar o tetrarca e, sem trepidar, invectivou-lhe a conduta.

Como pudera aquele reizete pusilânime e ignóbil trair a filha de Aretas, rei dos Nabateus, que se vira obrigada a buscar refúgio além da Pereia, em Petra, junto ao pai, enquanto ele recebia a esposa do seu meio-irmão, Herodes Filipe I, que vivia em Roma como cidadão, sem qualquer título, e era filha de outro meio-irmão, Aristóbulo, apaixonado como a avó, Mariamne, a asmoneana, assassinada por Herodes, o Grande!...

As palavras veementes queimavam, e Antipas o ouvira impressionado.

Fraco, porém, ou indiferente, não tivera o príncipe a nobreza de libertar-se da estranha paixão, nem sequer reagira.

Sabia, no entanto, da ira que empolgara a alma da mulher ferida no seu orgulho e desfaçatez...

A noite sonhava muito longe, e o vento frio corria por sobre os montes do Galaad.

Os pífaros agudos varam a noite estrelada, e as sombras no salão de festas da fortaleza dançam retalhadas pelas flamas vermelhas das lâmpadas de cobre e cristal suspensas...

As recordações continuam a assaltá-lo na masmorra fria e infecta.

Quantas humilhações que, todavia, não o feriam!

No íntimo recordava: "É necessário que Ele cresça e que eu diminua...". Gostaria de ter ouvido, conversando com o Ungido! À mente vinha a lembrança de Moisés, atormentado no alto Nebo, fitando a "terra eleita" sem lobrigar alcançá-la...

Com esse receio no coração, nascido talvez dos dias de solitária e triste reclusão, mandara dois discípulos procurarem Jesus, de Quem tanto ouvia falar, para saber...

A resposta não chegara, e a hora era aquela, a sua hora.

O suor começou a escorrer abundante.

Estava, porém, em paz.

Seu Espírito, preparado para o testemunho, não acalentava ilusões. Forjara a esperança nos foles, fornos, bigornas do ascetismo, da dedicação e da confiança totais.

Levantou-se, aspirou o ar tranquilo da noite, examinou a nesga de céu bordado e lavado de luar, fitou o carrasco que o contemplava soturno à porta aberta. A voz soou firme como no passado, embora o desgaste orgânico.

– *Estou pronto!* – disse.

Ajoelhou-se sobre a palha imunda do cubículo e curvou a cabeça para baixo.

Na manhã clara, meses antes, na Galileia formosa, os discípulos de João, ansiosos, interrogaram o estranho e nobre Rabi:

– *És tu aquele que há de vir, ou devemos esperar por outro?*

– *Ide* – respondeu, jubiloso – *e contai a João o que ouvis e vedes: os cegos veem, os coxos andam, os leprosos tornam-se limpos, os surdos ouvem; os mortos ressuscitam, e aos pobres é anunciada a Boa-nova. Feliz de quem não se escandalizar de mim.*

Logo se afastaram, comovidos e fascinados. O Mestre, tocado de ternura pelo prisioneiro que O mandara inquirir, falou:

– *Que saístes a ver ao deserto? Um caniço agitado pelo vento? Pois que saístes a ver? Um homem em roupas delicadas? Ora, os que trajam roupas delicadas residem nos palácios dos reis. Por que, pois, saístes? Para verdes um profeta? Sim, declaro-vos eu e mais que um profeta: porque este é de quem está escrito: Eis que envio a preceder-te o meu arauto, a fim de preparar o caminho diante de ti!*

A balada da revelação nos lábios do Rabi se emoldura de cristalina beleza, e ele prossegue:

– *Em verdade vos digo que entre os filhos de mulher não surgiu quem fosse maior que João Batista. Entretanto, o menor no Reino dos Céus é maior que ele. Desde os dias de João Batista até hoje o Reino dos Céus sofre violência e os homens violentos o tomam de assalto. Porque todos os profetas e a lei, até João, vaticinaram. Ele, porém – se o quiserdes aceitar –, é o Elias que há de vir. Quem tem ouvidos para ouvir, ouça!*

Sim, João é Elias reencarnado, abrindo caminhos e preparando estradas!

A verdade está enunciada. Luz nova projeta-se nos dédalos da ignorância multimilenar.

Em Maqueronte, entre os convidados de toda parte, encontravam-se Herodíade e Salomé, sua filha do consórcio com Filipe I; Agripa, seu irmão, que mais tarde, no império de Calígula, seria nomeado sucessor de Filipe, no seu território, e, posteriormente, quando Antipas foi exilado para Lião, na Gália, suceder-lhe-ia em sua Tetrarquia. Também lá estava Herodes-Filipe II, o tetrarca pacífico da Gaulanítida e Traconítida, que em breve tempo casaria com Salomé.

O festim, digno das cortes orientais, excedia em luxo e loucura.

Vitélio, chegando em sua liteira suntuosa, traz consigo todo um exército de bajuladores e serviçais e entra triunfalmente recebido pelo aniversariante.

Os crótalos cantam; as cítaras e os *kinnors*[10] enchem o ar de estranhas e lânguidas melodias, enquanto os timbales marcam o febril compasso.

Os lampadários estão em todo o seu esplendor e os candelabros, com almotolias de prata e ouro, derramam luz sobre os tapetes da Babilônia, de Tiro, de Sídon e os panos coloridos de Damasco a escorrerem pelas paredes de pedra lavrada.

10. Kinnor: harpa judaica de som grave (nota da autora espiritual).

Jacintos, dálias, rosas e jasmins formam festões coloridos e perfumados em volta, por detrás das mesas de ébano e mogno trabalhadas.

Saduceus e fariseus discutem animadamente, enquanto os suculentos manjares desfilam e atendem aos convivas.

Uma escrava canta estranha e ignota melodia.

Num intervalo, os velários são descerrados.

E, subitamente, ante o espanto geral, Salomé, menina-moça, põe-se a dançar...

O vinho louro escorria abundante, e o bailado de loucura inebriava os príncipes, os fariseus, os convidados em geral.

A dança, uma mistura de ritmos religiosos e pagãos, era também lasciva.

Quando a música se interrompeu e imenso silêncio penetrou triunfante, a bailarina tombou em atitude insólita e luxuriosa.

Antipas, entorpecido pelo vinho e pela sensualidade, exclamou em febre, enlaçando a jovem menina:

– *Pede! Pede-me metade do meu reino, e eu to darei!*

Pela mente ambiciosa da garota excitada perpassam as paixões e ansiedades da sua época.

Atordoada, busca a genitora para aconselhar-se, e esta, achando propícia a ocasião, segreda: pede-lhe a cabeça de João.

A menina empalidece.

A mãe, autoritária, insiste: – *Pede-lhe! E eu te darei o que quiseres. Esse João ousou desmoralizar-me diante da ralé e perante o próprio rei, que, acovardado, idumeu supersticioso, não teve altivez de o punir, degolando-o com severidade para servir de exemplo. Limpa-me o nome, filha! Não apenas peço: eu to exijo!*

O ar pesava, e a expectativa se fez geral.

Alguém gritou: – *Pede-lhe! É rei e, após prometer, não poderá recusar. Somos testemunhas. Pede!*

Com a voz rouca, a menina propôs:

– *Dá-me a cabeça de João para que eu possa bailar!*

Antipas respeitava e temia o Batista.

Ao ouvir o singular pedido, estremeceu e quedou--se lívido.

Gargalhada geral explodiu no ar e as vozes, em coro, reclamaram:

– *Dá-lhe a cabeça do Batista, ou temes ofertá-la?!*

Atoleimado, o rei chamou um sicário e mandou-o decepar a cabeça de João, encarcerado.

No alto, a Lua, em minguante, ocultou-se entre nuvens escuras e um silêncio tétrico se encheu de expectação...

...A lâmina prateada cortou o ar, e num baque surdo a cabeça do precursor rolou no piso de pedra...

A música voltou a soar e, rodopiando, com uma bandeja de prata na mão espalmada, Salomé entregou a Herodíades o troféu: a cabeça decepada do Batista, que fitava com olhos sem luz a consciência ultrajada dos seus algozes.

Semidesvairada, a infeliz mulher pôs-se a gargalhar...

Elias resgatava o crime cometido às margens do Rio Quizom, quando mandara decepar a cabeça dos adoradores de Baal e, livre, tarefa cumprida, ascendia, agora, nos Cimos.

Seus discípulos rogaram a Antipas o cadáver e o sepultaram com carinho.

Em colina longínqua, auscultando a noite silente, Jesus orava.

Dias depois, abandonou as terras de Herodes Antipas e foi semear a Boa-nova em outras terras...

Cumpriam-se as Escrituras.

O silêncio que o Precursor fizera ensejava a audição do Messias por toda a Terra, numa nova era.

3

O EXCELSO CANTO

Aquele junho estava ardente, mais do que nos anos anteriores.[11]

O dia longo murchava lentamente, abafado, enquanto o Sol, semiescondido além dos picos altaneiros, incandescia as nuvens vaporosas, que o vento arrastava no seu carro pulverizado de púrpura e ouro.

A montanha, de suave aclive, terminava em largo platô salpicado de árvores de pequeno porte, que ofereciam, no entanto, abrigo e agasalho.

Desde cedo a multidão afluíra para ali, como atraída por fascinante expectativa. Eram galileus da região em redor: pescadores, agricultores, gente simples e sofredora, sobrecarregada e aflita. Eram judeus chegados d'Além-Jordão, de Jerusalém, estrangeiros da Decápole. Misturavam-se as vozes nos dialetos regionais e uniam-se todos na mesma imensa curiosidade feita de expectação e desejo.

---

11. Mateus, 5: 1 a 48; 6: 1 a 34; 7: 1 a 29. Lucas, 6: 17 a 49 (nota da autora espiritual).

Esmagada pelos poderosos, experimentava invariavelmente o desprezo da jactância e da presunção.

Amavam-se aquelas criaturas na sua dor e necessidade, interdependiam-se.

Aquele Rabi, que os alentava, era o Rei aguardado há séculos, carinhosamente esperado, que os libertaria do opróbrio e da servidão...

Ouviram-nO e O viram mais de uma vez, e constataram que jamais alguém fizera o que Ele fazia ou falara como Ele falava.

Acorreram de toda parte: das redondezas do lago e dos campos, das cidades distantes e das aldeias para ouvi-lO.

No ar pairava algo especial.

O azul-doirado dos céus confraternizava com o verde queimado da terra, e a brisa cariciosa chegava do mar, das bandas e contrafortes do Hermom, que se alternavam, para espraiar-se pela imensa planície do Esdrelon, trazendo o acre-doce odor do solo crestado.

A montanha, em sua grandeza especial, é também um símbolo: o *Filho do Homem* que desce aos homens vencendo as dificuldades do mergulho no abismo, e do *Homem* que sobe e conduz os homens por sobre escarpas lacerantes até o seio de Deus.

A montanha também é destaque maravilhoso na paisagem.

Galgar, subir a montanha pode significar vencer os óbices que perturbam o avanço na jornada evolutiva. Descer, deixar o monte é não considerar o empecilho e refazer o caminho, alongar as mãos em direção dos que ficaram tolhidos na retaguarda...

É muito áspera a descida aos homens para erguê-los a Deus.

Perder-se entre as querelas humanas para encontrar os Espíritos em perturbação na noite das necessidades aparentes e resplandecer em madrugada sublime, guiando-os por sobre os escombros da véspera, a fim de subirem até o planalto onde brilha, permanentemente, o Sol do claro e demorado dia...

Descer sem decair.

Os homens suscitam obstáculos onde existem opiniões e levantam cerros onde estão convenções.

Esquecer-se e vir até os que se debatem nas questiúnculas, que vitalizam com desconcerto emocional e sofreguidão.

Dar-se, integrar-se de tal modo que seja comum a todos, mas a nenhum igual.

Este o díptico: subir, descer.

Subir sem abandonar a baixada e descer sem esquecer os cimos.

A montanha era uma montanha qualquer.

E o poema que ali seria apresentado jamais foi ouvido, nunca mais será ouvido em qualquer época, equivalente...

O Evangelista Mateus assevera: "E Jesus, vendo a multidão, subiu a um monte...", enquanto Lucas informa: "E descendo com eles, parou num lugar plano...".

Subir ou descer! Não importa.

A verdade, porém, é que no plano do aclive Ele se deteve e, de pé...

...Vestiu-se de poente.

Auréola refulgente incendiou-lhe os cabelos que a leve brisa desnastrava, esfogueados.

As vestes abrasadas e a ansiedade do mundo em volta. No magote, homens, mulheres e crianças que levariam no cérebro e no coração a Mensagem, o Poema divisor das realidades diferentes.

A multidão era a sua paixão, a sua vida. Amá-la e atendê-la, o seu fanal.

Sentindo a multidão submissa, magnetizada, esquecida de si mesma, numa sublime comunhão em que extravasava toda a vida, Ele, abrindo a sua boca, os ensinava, dizendo:

– *Bem-aventurados os pobres de espírito, porque deles é o Reino dos Céus!*

Os pobres, todos os conheciam. Eram maltrapilhos, malcheirosos, doentes. Distendiam a mão que a miséria estiola.

Eram pobres; no entanto, quantos deles portavam os tesouros da *riqueza* do espírito! Espírito *rico* de revolta, possuidor de paixões, dono de vasto cabedal de angústia e mágoa...

Quais seriam os *pobres de espírito*?

O vento perpassa em leve cantilena pela multidão pensante, a raciocinar, no silêncio que se fez espontâneo, na pausa que, natural, se alonga...

Os ricos possuem moedas e títulos, propriedades e espíritos ricos de ambições, de orgulho, de misoneísmo.

Os *pobres de espírito* são os livres de posses e ambições, amantes da liberdade, pugnadores dos direitos alheios, idealistas, cultores da verdade, preparados para a verdade.

Sem peias atadas à retaguarda, sem ímãs atraentes à frente.

Semelhantes aos simples, desataviados, e às crianças.

Inteiramente livres.

Candidatos ao Reino dos Céus e súditos dele, desde já.

Inocentes porque venceram com o tributo das lágrimas e o patrimônio dos suores. Ressarcido o débito, lavadas as mazelas, puros, portanto, sem a vacuidade do "eu", predispostos à autodeliberação, à autossublimação.

Livres dos resíduos do mundo, não consumidos, não afligentes. Com todos, ao lado de todos, sem ninguém, não amarrados aos outros, às convenções dos outros.

Pobres de espírito!

A multidão aguarda; pulsam os corações; os olhos de todos brilham com lampejos diferentes.

A voz do Rabi espraia o canto:

– Bem-aventurados os que choram, porque eles serão consolados!

"O olho é a candeia do corpo", e todos os olhos cintilam; lágrimas coroam-nos.

A figura do Rabi é ouro refletido contra o céu longínquo, muito claro.

Todos ali têm lágrimas acumuladas e muitos as vertem sem cessar, nas rudes provações, oculta ou publicamente.

Longa é a estrada do sofrimento; rudes e cruéis os dias em que se vive.

Espíritos ferreteados pelo desconforto e desassossego, corações despedaçados, enfermidades e expiações...

Todos choram e experimentam a paz refazente, que advém do pranto.

Creem muitos que o pranto é vergonha, esquecidos do pranto da vergonha.

Dizem outros que a lágrima é pequenez que retrata fraqueza e indignidade.

A chuva descarrega as nuvens e enriquece a terra; lava o lodo e vitaliza o pomar.

A lágrima é presença divina.

Quando alguém chora, a Lei está justiçando, abrindo rotas de paz nas províncias do espírito para o futuro.

O pranto, porém, não pode desatrelar os corcéis da rebeldia para as arrancadas da loucura, nem conduzir, em caudal, as ribanceiras do equilíbrio, qual riacho em tumulto semeando a destruição, esgaivando as searas.

Chorar é buscar Deus nas adustas regiões da soledade.

A sós e junto a Ele.

Ignorado por todos e por Ele lembrado.

Sofrido em toda parte, escutado pelos Seus ouvidos.

O pranto fala o que a boca não se atreve a sussurrar.

Alguém chorando está solicitando, aguardando.

Na impossibilidade de expressar por palavras, desnudar a alma, esvaziar-se de toda inquietação.

...Serão consolados!

Favônios espalham o pólen de miúdas flores no vale embaixo e os flancos da rocha canalizam o ar cantante.

A multidão estua de esperança.

O Mestre, como se se alongasse, penetrando em todas as mentes, exclama, vigoroso:

– *Bem-aventurados os mansos, porque eles herdarão a terra!*

A terra sempre pertenceu aos poderosos que aliciam a impiedade à astúcia, e podem esmagar, tripudiando sobre os tímidos e brandos.

Os discípulos se entreolham...

Mas a brandura é a auréola da paz, a irmã do equilíbrio.

Os herdeiros da terra recebem-na ensanguentada, um oceano juncado de cadáveres; legatários também, todos eles, do ódio e da repulsa dos dominados.

Os brandos são os possuidores da terra que ninguém arrebata, do lar que ninguém corrompe, do país onde abundam bens e as messes são fecundas.

Herdarão a terra!

A tarde serena e calma apresenta-se transparente.

Ignotas vibrações produzem musicalidade na tela imensa da paisagem colorida e ondulada.

A palavra do Mestre, expressiva, entoa mais um tema da Sinfonia Incomparável:

– *Bem-aventurados os que têm fome e sede de justiça, porque eles serão fartos!*

Fome e sede de justiça!

A caravana dos criminosos não julgados é infinita e inacabada.

Os carros dos guerreiros e vândalos passam velozes sobre cidades vencidas, órfãos e viúvas ao abandono.

A injustiça veste os corações, e a indiferença dos legisladores como dos governantes é quase conivência.

O mundo arde em sede de justiça.

O homem tomba esfaimado às portas da Justiça.

Todavia, os desvairados retornam aos antigos passos e reencarnam imolados à loucura e estigmatizados pela crueldade.

Felizes os que experimentaram suas atrocidades.

Há uma esperança que é vida, para sedentos e esfaimados.

Feridas à vista, feridas do coração, feridas ignoradas que clamam lenitivo à justiça do amor.

O homem amargurado às portas da Verdade.

A Verdade descendo ao homem, esclarecendo-o e pacificando-o.

Renascendo para resgatar, recomeçando para acertar, repetindo as experiências para aprender.

Justiçado pela consciência, corrigido pelo amor, preparado para a libertação.

Serão saciados!

❧

Seguro equilíbrio asserena a multidão.

Jesus é o hífen de luz entre os mundos em litígio: o espiritual e o material – o lugar-comum.

As criaturas na montanha acercam-se umas das outras, entreolham-se, identificam-se.

Envolvendo todos num expressivo olhar de compaixão e entendimento, Jesus elucida:

– *Bem-aventurados os misericordiosos, porque eles alcançarão misericórdia!*

A misericórdia que se doa é luz que se atira no próprio caminho; amor que se dilata pela trilha onde todos seguem.

A Terra é um vulcão de ódios, e o crime parece um gás letal que envenena ou enlouquece.

A guerra é hidra cruenta sempre presente.

"Viver cada um para si" é filosofia chã de expansão fácil.

No entanto, só a piedade redime o criminoso, assim como a reeducação o capacita para a vida.

A misericórdia é o antídoto do ódio, voz da inteligência que dialoga e vence o instinto.

A misericórdia do Pai concede a oportunidade do renascimento no reduto do crime para a reabilitação do precito.

Perdão, que é ato de nobilitação, moeda de engrandecimento intransferível.

Misericórdia, que é amor, socorre e ajuda sem fastio.

Alcançarão misericórdia!

Alteram-se as expressões da Verdade.

Não se trata de uma litania.

A onda atinge o clímax.

Jesus exclama, com eloquente alegria:

– *Bem-aventurados os limpos de coração, porque eles verão a Deus!*

Há um estado de quase êxtase.

Um delírio percorre a massa antes amorfa e desconexa.

Já não se podem reter as lágrimas.

Limpar o coração, nascente dos sentimentos, para ver a Deus.

Sob o fardo das iniquidades, despedaça-se a esperança.

Chafurdadas por imundícies, as origens lustrais do amor convertem-se em sorvedouro pestilencial.

Abrir os *olhos* do sentimento para ver o que a inteligência sonha e não alcança.

Alçar voo à inocência e sintonizar com a Verdade sem retórica, em harmonia, sem interrupção para haurir vida, fruir a visão de Deus.

Transcendência Inatingível, humanizá-lO, para o órgão da vista registar, seria espezinhar a aspiração de perfeita identidade com Ele, quando, Imanente em todo lugar, é invisível em toda parte...

Causa Incausada, não se pode condensar no raio luminoso que produz a imagem ilusória que os átomos apresentam.

Desejando o finito reter o Infinito, tem este finito pervertido e maculado o coração...

Mas amar a relva, o homem, o céu, o animal, o inseto, a vida em todas as manifestações, integrar-se na essência da substância divina, coração aberto ao amor, com pureza em tudo.

Verão a Deus!

Logo prossegue o Mestre, como a completar o augusto ensino, antes que a incompreensão assole:

– *Bem-aventurados os pacificadores, porque eles serão chamados filhos de Deus!*

Esparzir a paz, enquanto o pensamento geral é tumultuar a tranquilidade.

Herdarão a Terra os filhos de Deus, porque estes, mansos e cordatos, serão brandos de coração.

Brandura, que é coragem de enfrentar o forte, sem o temer, submeter-se sem ceder ao império da força, dominar a ira e vencer-se para pacificar.

Quantas vezes o Mestre empregara energia sem limite ante a hipocrisia e a maldade, conservando austeridade sem violência, e firmeza de ação sem mesclas de ódio, vigor, não dureza, força moral, não desequilíbrio emocional!

Expor sem impor.

Clarear as mentes sem as subornar ou submeter, conduzir sem escravizar.

Todos os homens têm necessidade da brandura, amam e precisam de amor, identificam e não dispensam a bondade, conhecem e são ávidos de pacificação.

Os poderosos passam, e as sombras dos tempos envolvem-nos.

Ficarão com eles e conosco a paz que lhes outorgarmos, a cordura com que os recebermos, a benevolência com que os tratarmos, embora nos espezinhem e firam...

Herdarão a terra, filhos de Deus!...

E num átimo de minuto, eternidade além do tempo, infinito além do espaço, conclui, afetuoso, Jesus:

– *Bem-aventurados os que sofrem perseguição por causa da Justiça, porque deles é o Reino dos Céus!*

A ventura não é doação gratuita, assim como a paz não se revela adorno vão.

O sofrimento consequente à perseguição é dádiva que recama o Espírito de paz e prodigaliza a ventura.

O perseguidor é infeliz infelicitador.

Enfermo, faz-se calceta.

Desvairado, alicia os sequazes do próprio primitivismo em que se enfurna e com que investe.

Em todas as épocas a honra sofre labéus e experimenta vitupérios.

Os heróis da verdade silenciam no potro a vibração do corpo que padece, enquanto o apupo ruge em ensurdecedora zombaria.

A Justiça tem seus mártires que fecundam a terra sáfara para a primícia da verdade.

"Deles é o Reino dos Céus", que inocentes sofreram por fidelidade à Justiça Divina.

A túnica de luz solar é uma coroa nos cabeços elevados dos montes além, exuberantes no entardecer.

Lá embaixo, na campina ampla, a claridade baila nas sombras do arvoredo, e no ocaso resplende o festival glorioso do crepúsculo em delineamento.

A respiração entrecortada em todos os peitos por surdas exclamações, e a pulsação arrítmica enregela os corpos em tensão.

Ele parece afagar a multidão e no gesto que imprime com os braços abertos e as mãos, como asas de luz prestes a desferirem voo, clama:

– Bem-aventurados sois vós, quando vos injuriarem e perseguirem e, mentindo, disserem todo o mal contra vós por minha causa. Exultai e alegrai-vos, porque grande é o vosso galardão nos céus; porque assim perseguiram os profetas que foram antes de vós!

O sacrifício como coroamento da fé, em testemunho à convicção.

Dar direito aos outros de errarem, não se permitir, porém, errar.

Ser puro, sem aparatos de externa pureza.

Mentindo, os agressores perseguem; tranquilo, o agredido permanece inatingível.

A lama da mentira não enodoa o alvinitente da pureza.

Mãos limpas de crimes; coração puro; Espírito reto.

Os vanguardeiros da verdade encontram-se tão empenhados na extensão do lídimo ideal, que não têm tempo para a desídia, nem a chicana. Não se lembram de defender a honra.

Não recordam de justificar os atos que as conveniências humanas, mordazes, apupam.

Estão a serviço da Causa do Cristo, estendendo as dimensões imensuráveis do amor. Sua abnegação e conduta falam mais expressivamente do que suas palavras.

Sua honra é o vero labor; sua defesa e argumentos, o silêncio – resposta dos "perseguidos que foram antes"...

Exultam na gleba da retidão, fazendo o que devem, e não o que lhes convém fazer.

A glória dos lutadores é a honra do serviço, e sua auréola, o suor do dever.

– *Exultai! Alegria!*

Já não há dúvidas àquela hora.

Toda a epopeia da Humanidade canta no Sermão do Monte.

O amor em sua mais alta expressão aí tem sua fonte inexaurível e eterna.

Perpassam no ar os aromas da Natureza e o vento da tarde entoa solaus onomatopaicos.

A pausa se alonga.

As emoções explodem em festa de paz e esperança.

E Ele prossegue...

Novas hipérboles e hipálages expressam os exórdios candentes da Verdade, como mil vozes em harmonia numa só voz nunca ouvida.

...Sois o sal da Terra...

Sois a luz do mundo...

Não cuideis que vim destruir a lei...

Ide reconciliar-vos com o vosso irmão...

Não cometais adultério, nem escandalizeis...

Não jureis...

Não resistais ao mal...

Amai ao vosso próximo, aos vossos inimigos...

Sede perfeitos...

Orai assim: Pai nosso, que estais nos Céus...

Não ajunteis tesouros na Terra...

O céu resplandece no ouro do poente.

Miríades de sons se elevam na sinfonia do entardecer.

Aconchegados, tocam-se alguns da multidão como a se ampararem uns nas fraquezas dos outros, em união e identidade.

O poema prossegue vibrante.

Não há tempo a perder.

...Ninguém pode servir a dois senhores...

Olhai os lírios dos campos e as aves do céu...

Buscai primeiro o Reino de Deus e sua Justiça...

Não julgueis...

Pedi, e dar-se-vos-á...

Buscai, e encontrareis...

Batei, e abrir-se-vos-á...

Entrai pela porta estreita...

Acautelai-vos contra os falsos profetas...

Recama-se o infinito de astros.

Tremeluz o poente.

Um grande silêncio se abate sobre a montanha.

A multidão, abalada, se movimenta em dispersão.

Os corações estão em festa e em dor... As mentes ardem em febre estranha.

O futuro os aguarda.

Não muito longe, o amanhã convidará todos aqueles ouvintes ao testemunho em postes e presídios, entre feras, nos campos de batalha do mundo, nos sórdidos pavimentos da aflição, como herdeiros legítimos do Reino de Deus.

Diante dos olhos do Rabi se desenham as cenas das lutas sangrentas pelos séculos afora, para a implantação daqueles ensinos no mundo.

Jesus desceu o monte, seguiu adiante, enquanto alguns murmuravam sobre a Sua autoridade.

É quase noite.

Os astros cintilam expressivamente, como testemunhas silenciosas sempre presentes.

A Carta Magna foi apresentada. As Boas-novas foram cantadas aos ouvidos dos séculos.

O Sermão da Montanha é o alfa e o ômega da Doutrina de Jesus.

Nenhum cristão poderá, por ignorância, cultivar o mal.

Jamais se repetirá.

O fasto ficará assinalado para todo o sempre.

A História concluirá o canto nos confins da eternidade, no reencontro futuro do homem redimido com o Filho do Homem, redentor.

4

NICODEMOS, O AMIGO

O plenilúnio vestia Jerusalém de prata.[12] A torre Antônia, altaneira ao lado do Templo, parecia um vigia de pedra assestado sobre a cidade dos profetas, observando os movimentos suspeitos em toda parte...

Fora dos muros circunjacentes, as terras de Acra e Bezeta estuavam de verdor, carreando o vento frio na direção da urbe em repouso.

No templo deserto, a essa hora da noite, crepitam as chamas da perpétua vigília.

Transeuntes noctívagos conduzem archotes, embora a claridade de Selene espalhada sobre o basalto do piso.

As casas, de portas cerradas, estão mergulhadas em profundo silêncio.

Jesus, em casa de amigos, espera.

12. João, 3: 1 a 15 (nota da autora espiritual).

Aquela entrevista, Ele a concedera prazerosamente, sem qualquer impedimento. Recebera a solicitação e, como se a desejasse, aquiescera generoso.

Àqueles dias, enquanto visitava Jerusalém, preparava os acepipes para o banquete do dia esperado, a que sempre se reportava.

Às vésperas, estivera no templo vilmente convertido em balcão de usura.

Tomara enérgicas atitudes, enquanto os vendilhões se puseram de pé como que ultrajados... ultrajados pela Verdade.

Setenta eram os doutores da Lei, escolhidos em Israel entre os letrados e os de ascendência nobre.

Nicodemos[13] era dos mais jovens entre os respeitáveis mestres, que desfrutavam o privilégio de ocupar a alta Corte do Sinédrio. Fariseu, além de ser doutor da Lei, era chefe dos judeus.

Sequioso da verdade, não se contentava com as velhas fórmulas da exegese religiosa e sentia, depois daqueles tormentosos séculos em que Israel se vira privada de revelações, que algo de estranho e grandioso pairava no ar.

De caráter nobre, era severo na interpretação da Lei e zeloso cumpridor dos deveres.

Sentia que em todo lugar havia ânsia incontida de renovação.

Surgiam notícias, exageradas algumas, viáveis outras, de profetas novos que insuflavam nas massas infelizes robustez de ânimo, coragem e esperança.

13. Nicodemos: "Vencedor do povo" (nota da autora espiritual).

Ouvira falar de João, o pregador itinerante do Jordão, mas receara ir vê-lo.

Sabia que seu verbo quente e apaixonado poderia situá-lo mal entre seus pares, em Jerusalém.

A cidade era um covil de espiões, o que o amargurava cruelmente.

Digladiavam-se quase publicamente Anás e Caifás, sogro e genro, respectivamente, que disputavam supremacia, e a rede de intrigas espalhava suas malhas em toda parte; Herodes aliciava milicianos, que se misturavam ao povo, disfarçados em todos os recintos, e Roma vigiava dominadora...

Desejava a verdade, não a ponto de prejudicar-se na posição que desfrutava.

Soubera de Jesus.

O Messias, de Quem ouvia falar, parecia atraí-lo vigorosamente.

Tivera contato com muitos daqueles que o conheciam, beneficiários de Seu socorro.

Fora informado sobre o conteúdo novo e revigorador dos Seus discursos.

Aguardava, desde há muito, alguém que possuísse os evidentes sinais de coragem e equilíbrio, do destemor e discernimento como um excelente filho de Deus para conduzir o povo sofrido de Israel e esclarecer as mentes apanagiadas pelo rigorismo da aplicação da Lei ou ludibriadas pela usurpação dos bens de órfãos e viúvas, trocados por falsas orações, em criminosas maquinações às quais se entregavam.

Ele estava em Jerusalém...

Ia recebê-lO; ouvi-lO-ia.

A entrevista estava marcada para altas horas da noite. Seria mais discreto.

Um amigo o levaria ao lar de outro amigo comum, onde Ele pernoitava, no Vale do Cédron, além dos muros...

Quando chegou a casa, conduzido por devotado discípulo d'Ele, e O viu, não pôde dominar a emoção que o assaltou de chofre.

Experimentou a impressão de conhecê-lO.

Também Ele parecia identificá-lo cordialmente, como se o conhecesse e esperasse o encontro.

Num átimo de minuto, procurou recordar, *no coração*, onde O vira, quando O encontrara. Foi inútil.

Na acústica da mente parecia ouvi-lO dizer: – *Eu te conheço, Nicodemos bar Nicodemo, desde antes...*

Recompôs-se, ligeiro, dominando as emoções e predispôs-se à entrevista.

O largo alpendre, com latadas floridas, deixava divisar os muros de Jerusalém adormecida.

A noite sonhadora e estrelada prateava os campos ondulantes ao vento jornaleiro.

A sala iluminada por lâmpadas de óleo crepitante agasalhava os dois hóspedes a se defrontarem, silenciosos.

Em Nicodemos a expectativa é imensurável. De Espírito arrebatado, conhecia as glórias mundanas e saturara-se da bajulação. Representava a Humanidade inquieta, instável, ansiosa.

Jesus personificava a paz. Sereno, auscultava o amigo que fora interrogá-lO.

Eram bem dois mundos distintos...

Sem mais poder dominar o corcel das emoções desordenadas, o Doutor da Lei indagou:

– *Rabi, bem sabemos que és Mestre vindo de Deus; porque ninguém pode fazer esses sinais que Tu fazes, se Deus não for com ele.*

A face do Mestre, coroada pelos cabelos encaracolados e caídos sobre os ombros, parecia transfigurada. Os olhos brilhavam com estranho e claro fulgor.

– *Que desejas de mim?* – perguntou Jesus.

– *Que é mister fazer* – retrucou, emocionado, o fariseu – *para fruir das excelsitudes da paz com a mente reta e o coração tranquilo? ...E depois gozar as delícias do Reino?*

Há quanto tempo a pergunta lhe queimava o pensamento?!

Desejava o roteiro, mas temia encontrá-lo.

Gostaria de saber a verdade, e receava conhecê-la.

A verdade fora a razão da sua busca incessante, mas não ignorava que conhecê-la era morrer para todas as ilusões, suportando o fardo opressor das incompreensões e lutas, de Espírito firme nos alicerces do seu conhecimento.

Vendo o Mestre e impregnando-se do Seu magnetismo, sentia ser aquele o momento decisivo de toda a sua existência.

Aguardava a resposta. Começaria a viver, morrendo para tudo quanto reunira na vida...

As interrogações quedavam na sala.

Sentindo aquele homem de Espírito nobre, perdido nos dédalos das convenções, asfixiado pelas exterioridades enganosas, o Rabi respondeu:

– *Na verdade, na verdade te digo que aquele que não nascer de novo, não pode ver o Reino de Deus...*

A resposta era complexa e profunda.

Que seria "nascer de novo"? – pensou, e sem cobrar fôlego, interveio:

– *Como pode um homem nascer, sendo velho? Porventura, pode tornar a entrar no ventre de sua mãe, e nascer?*

O Mestre fitou-o demoradamente.

Nicodemos sentiu-se embaraçado.

– *Quando me refiro a "nascer de novo"* – prosseguiu o Rabi –, *desejo elucidar quanto à necessidade de "nascer da água e do Espírito". O que é nascido da carne é carne, e o que é nascido do Espírito é Espírito. Não te maravilhes de te ter dito: necessário te é nascer de novo. O Espírito sopra onde quer, e ouves a sua voz, mas não sabes de onde vem, nem para onde vai; assim é todo aquele que é nascido do Espírito.*

Estranha informação.

Nicodemos pensa: então os Esseus estavam informados quanto ao Reino de Deus? Também eles falavam, como os Antigos e a Tradição, a respeito dos renascimentos.

Sabia que, nos mistérios egípcios, além da metempsicose com que se ameaçavam os maus, os sacerdotes falavam aos iniciados sobre os diversos Avatares do Espírito para se despojarem dos crimes e das imperfeições. Seria, então, esse "nascer de novo" igual ao da doutrina das vidas sucessivas a que se reportavam os hindus e os gregos?

Parecia-lhe lógica a necessidade de renascer. *Pagar* numa vida os *débitos* angariados *noutra*. Refazer o caminho percorrido, retificando erros, corrigindo arestas.

Não podia, no entanto, perder-se em cismas.

Como se despertasse do ensinamento, indagou, procurando robustecimento:

– *Como pode ser isso?*

– *És Mestre em Israel* – retorquiu Jesus –, *e não sabes isto? Todos os que compulsam os velhos pergaminhos conhecem a trilha da evolução. "Dizemos o que sabemos, e testificamos o que vimos; e não aceitais o nosso testemunho". Essas são informações do currículo terreno. Outras, poderia dizê-las, celestiais, mas não as compreenderias. O Espírito é imperecível, e na sua jornada infinita estaciona para refletir e recomeça para ascender. Os compromissos não regularizados ou complicados hoje, amanhã serão ressarcidos...*

A emoção vibrava nos lábios do Rabi.

Era quase um monólogo.

Talvez Ele estivesse falando à Humanidade inteira.

Desejando imprimir no ouvinte perplexo e atento a diretriz de segurança e identificando-se como o Enviado, prosseguiu:

– *Ninguém (da Terra) subiu ao Céu, senão o que desceu do Céu, o Filho do Homem, que está no Céu. E, como Moisés levantou a serpente no deserto, assim importa que o Filho do Homem seja levantado, para que todo aquele que n'Ele crê tenha a vida futura...*

Que desejava Ele dizer com "a serpente"? Salomão a ela se referia como símbolo de sacrifício – pensou Nicodemos.

Seria necessário que o Rabi fosse sacrificado para que a verdade se espalhasse nos corações e os homens a pudessem identificar? Percebeu intimamente que já O amava e surda preocupação começou a assomar-lhe à mente.

Nicodemos tinha os olhos nublados.

O Rabi estava de pé.

A sala ampla mergulhou em silêncio.

Os astros fulguravam ao longe.

A entrevista estava concluída.

Nicodemos fitou o Mestre banhado de prata. Despediu-se e, embrulhado no fez, desapareceu na noite, rumando para Jerusalém.

A verdade ficaria abrindo rotas nas mentes e guiando Espíritos.

A Doutrina das Vidas Sucessivas fora ensinada por Jesus. A reencarnação decifraria os enigmas da vida pelos tempos do porvir.

João, emocionado com a entrevista reveladora, alonga comentários com o Mestre, na noite sublime, e escreverá sobre a vinda do Filho do Homem. Reconhecido, talvez, a Nicodemos, a quem guarda na mente, a ele se referirá, mais tarde, após o sacrifício da cruz...

O Evangelho anunciava, através do diálogo com Nicodemos, o amigo que buscara Jesus, a excelência da revelação. Já não há dúvidas.

No zimbório em sombras o alcatifado dos astros refulgentes, e na Terra sombria aquele que é "a Luz do mundo", rutilando a verdade nos corações.

5

O MANCEBO RICO

O momento era de profunda significação. Sabia, por estranha intuição, que um dia defrontaria a Realidade, e a encontrava agora.[14]

No ar abafado do entardecer serenavam as ânsias da Natureza.

Doces perfumes evolavam de miúdas flores derramadas nos flancos do aclive. As águas transparentes cantavam melodias ignotas, deslizando sobre o leito de pedras arredondadas.

O apelo pairava vibrando em derredor: – *Vende tudo quanto tens, reparte-o pelos pobres, e terás um tesouro no Céu; vem e segue-me!*

Aquela voz penetrava como um punhal afiado e impregnava qual perfume de nardo.

---

14. Mateus, 19: 16 a 30. Marcos, 10: 17 a 31. Lucas, 18: 18 a 30 (nota da autora espiritual).

Havia um magnetismo inconfundível naqueles olhos severos e profundos como duas estrelas engastadas na face pálida do amanhecer.

Tinha sede de paz.

Embora repousasse em leito de madeiras preciosas incrustado de ébano e lápis-lazúli, se banqueteasse em repastos opíparos, cuidasse do corpo com massagens de óleos e unguentos raros, envolvendo-o em tecidos de linho leve, e suas arcas estivessem abarrotadas de gemas e ouro, sabia-se infeliz, sentia-se infeliz. Faltava-lhe *algo* que não se consegue facilmente.

Hesitava, no entanto.

Sua vivenda era luxuosa, seus pertences valiosos, e vazio o seu coração.

Conquanto a juventude cantasse alegrias e festas em convites constantes ao prazer no corpo ágil e vigoroso, acalentava melhores aspirações, disputava-se a posse total da paz. Era mais do que um tormento essa necessidade. Não que desejasse a tranquilidade aparatosa dos fariseus ou o repouso entorpecente dos mercadores opulentos, nem a serenidade enganosa dos cambistas abastecidos ou a senectude vitoriosa dos conquistadores em aposentadoria compulsória. Buscava integração harmoniosa, mas não sabia em quê.

Confrangia-se e angustiava-se, ignorando as nascentes da melancolia renitente que lhe dissipava sonhos e esperanças sob guante de inenarrável amargura.

Buscava as competições em Cesareia, todavia ignorava se essa busca representava uma realização ou uma fuga.

Agora, pela primeira vez, sentia-se arrebatado.

A meiguice e a ordem daquela voz, enunciada por aquele Homem, ecoavam como cascatas em desalinho nos abismos do espírito.

Interiormente gritava: "Irei contigo, Senhor, mas"...

Hesitava, sim, e a hora não comportava dubiedades.

Uma roseira de flores rubras, que abraçava os ramos do arvoredo próximo, sacudida pelo vento, desgarrou-se e as pétalas da cor de sangue caíram-lhe aos pés, junto dele, no alpendre, como sinais...

Donde O conhecia? – indagava, a medo, procurando recordar-se, com indizível esforço mental.

Tudo àquela hora era importante; mais do que isso: vital!

Ao vê-lO, de longe, era como se reencontrasse um amigo, um celeste Amigo.

Quando os seus descansaram nos olhos d'Ele, sentiu-se desnudado, o coração em descontrole sob violenta pulsação. Emoções inusitadas vibraram no seu ser, como jamais acontecera anteriormente. Desejou arrojar-se ao solo, esmagado por indômita constrição no peito.

Percebeu que o Estranho sorriu, como se o esperasse, como se o amasse, poderia afirmá-lo...

O tempo corria célere, galopando as horas fugidias.

Seus lábios afiguraram-se selados, e frio impertinente gelava-lhe as mãos.

Lutava por quebrar aquele torpor que o imobilizava.

Retalhos de luar tímido prateavam nuvens soltas no firmamento, bordando de luz oliveiras altivas e loendros em flor.

– *Permite-me primeiro* – conseguiu articular, vencendo a emoção que o transfigurava – *competir em Cesareia, logo mais, disputando para Israel os triunfos dos jogos...*

– *Não posso esperar. O Reino dos Céus começa hoje e agora para o teu Espírito. Não há tempo a perder.*

– *Aguardei muito essa ocasião e ela se avizinha, com a chegada do período das competições... Exercitei-me, contratei escravos que me adestraram... Aos partos comprei, por uma fortuna, duas parelhas de fogosos cavalos... Os jogos estão próximos...*

– *Renuncia e segue-me!*

Quem era Ele que assim lhe falava? Que poder exercia sobre sua vontade? Por qual sortilégio o dominava?!... Gostaria de fugir ou deixar-se arrastar; estava perturbado; ignorada sofreguidão o aniquilava...

A horizontalidade das aflições humanas contemplava a verticalidade da sublimação divina; o cotidiano deparava com o infinito; o vale fitava o abismo das alturas e se perdia na imensidão.

O homem e o Filho do Homem se defrontavam.

O diálogo parecia impossível, reduzindo-se a um monólogo atormentante para o moço diante daquele Homem.

Vencendo irresistível temor, continuou o príncipe afortunado:

– *Não receio dar o que possuo: dinheiro, ouro, gemas, títulos, se possível, pois sei que esses se gastam mui facilmente, mas...*

– *...Dá-me a ti próprio e eu te oferecerei a ventura sem limite.*

Que alto prêmio! Que pesado tributo! – pensou desanimado.

Era muito jovem e muitos confiavam nele. Possivelmente Israel lucraria com os seus laureis e triunfos. Príncipe, tinha pela frente as avenidas do poder a que se afervorava, poder que no momento destituía-se de qualquer valor.

Os bens, poderia ofertá-los, sim. Porém, a fortuna da juventude, os tesouros vibrantes da vaidade atendida e dos caprichos sustentados, as honras de família resguardadas pela tradição, os corifeus agradáveis e bajuladores, oh! Seria necessário renunciar-se a isso tudo? – interrogava-se, inquieto.

– *Sim!* – respondeu-lhe, sem palavras, com os olhos fulgurantes.

Sofria naqueles minutos a soma dos sofrimentos que experimentara a vida toda.

O ar cantava leves murmúrios enquanto as tulipas do campo teciam um manto sutil, rescendendo aromas.

O Rabi, em silêncio, aguardava. E ele, em perplexidade, lancinava-se.

O diálogo se tornara realmente impossível.

Subitamente, o príncipe de qualidade, num átimo de minuto, lembrou-se de que amigos o aguardavam na cidade. Compromissos esperavam-no. Deveria debater os detalhes finais para a corrida na grande festa da semana entrante.

Acionado por estranho vigor que dele se apossou, repentinamente, fitou o Messias sereno e triste, balbuciando com voz apagada:

– Não posso... Não posso seguir-Te agora... Perdoa-me, se me amas!

E saiu quase a correr.

Sopravam os ventos frios que chegavam de longe musicados pelo bulício das estrelas balouçantes.

A terra estuava sob a gramínea orvalhada.

O Mestre sentou-se e encheu-se de profundo sofrimento.

Era assim, sempre assim, que Ele ficava após a deserção dos convidados ao Banquete da Luz. A expressão de mansuetude e perdão que lhe brilhava nos olhos mergulhava em lágrimas, agasalhada em leves tons de amargura.

Assim O encontraram os discípulos. Interrogado, respondeu:

– Quão dificilmente entrarão no Reino de Deus os que têm riquezas!

Uma semana depois, Cesareia era a capital do ócio, do prazer.

Situada ao norte da Planície de Sarom e a 30 quilômetros ao sul do Monte Carmelo, foi embelezada por Herodes que, no local, mandou erguer grande porto de mar, caracterizado por colossal quebra-mar, enriquecendo-a com imponente Templo onde se levantava descomunal estátua do imperador.

Esse porto valioso sobre o Mediterrâneo era importante escoadouro de Israel e porta de entrada marítima onde atracavam embarcações de toda parte.

As vilas ajardinadas debruçavam-se sobre as encostas pardacentas da cidade, exibindo estilos arquitetônicos variados.

Pelo seu clima agradável, tornara-se residência oficial dos procuradores romanos em Israel.

Tamareiras onduladas pelo vento adornavam as ruas e odores exóticos misturavam-se no ar varrido pela maresia.

As anêmonas escarlates ou "lírios-do-vale", o narciso branco ou "rosa-de-sarom" misturavam-se na planície.

Os festins de Cesareia pretendiam rivalizar com os de Roma, atraindo aficionados até mesmo da Metrópole longínqua.

Ao som alegre de trompas e fanfarras começavam as festas públicas.

Competições de bigas abrem as corridas ante a aflição de judeus, romanos e gentios que deixaram sobre as mesas dos cambistas pesadas apostas nos seus ases.

Gladiadores em combates simulados, tocadores de pífanos e flautas, alaúdes e címbalos enchem os intervalos de som e de cor.

As quadrigas estão na linha de partida. Os fogosos corcéis, adquiridos aos partos, oriundos da Dalmácia, de Tiro, Sídon e da Arábia empinam, lustrosos, ajaezados. Ao sinal, disparam sob estrondosa ovação.

Chicotes vibram no ar, mãos firmes nas rédeas, os guias e condutores dão velocidade aos carros frágeis. A celeridade prende a respiração em todos os peitos.

A expectativa fala sem voz na pulsação da tarde ardente e empoeirada.

Numa manobra menos feliz, um carro vira e um corpo tomba na arena, despedaçado pelas patas velozes em disparada.

O moço rico sente as entranhas abertas, o suor e o sangue em pastas de lama, a respiração estertorada...

Enquanto escravos precípites arrastam-no da pista, foge mentalmente à cena brutal que o esmaga, e entre as névoas que lhe sombreiam os olhos parece vê-lO.

Silenciando os gritos na concha acústica, tem a impressão de escutá-lO:

– *Renuncia a ti mesmo; vem, e segue-me!*

– *Amigo!...*

Dois braços o envolvem veludosos e transparentes.

Apesar da face deformada e lavada pelas lágrimas, pelo suor e o sangue, ele dá a impressão de sorrir.

6

SEMENTE DE LUZ E VIDA

Manhã de Sol.[15]

Nuvens esvoaçantes nas franjas do vento jornaleiro.

A imensa planície humana a perder de vista.

A considerável extensão de terra, à espera de ser sulcada pelo arado promissor.

O mar, velho amigo, debruçando-se em ondas coroadas de brancas espumas nas areias e nos seixos da praia larga.

Assentado no barco, Jesus alongou os olhos pela planície dos corações e lembrou-se da terra inculta. Tomado de imenso amor pelos homens, depois de falar sobre muitas coisas, considerou:

Eis que o semeador saiu a semear. E, quando semeava, uma parte da semente caiu ao pé do caminho.

A luz derrama filões de ouro vivo no céu anilado.

---

15. Mateus, 13: 1 a 23; Marcos, 11: 1 a 20; Lucas, 8: 4 a 15 (nota da autora espiritual).

O ar transparente cicia aos ouvidos atenciosos da multidão.

...E vieram as aves, e comeram-na...

O Reino dos Céus é semelhante...

O homem bom semeou a boa semente na boa terra; enquanto dormia, um homem mal semeou joio na boa terra. E cresceram trigo e joio. Ora, para salvar o grão sadio foi necessário arrancar o escalracho, erradicando, naturalmente, muito trigo são. O joio, em molhos, foi queimado e o trigo, ensacado, foi posto no celeiro.

O grão de mostarda é o menor de todos, no entanto cresce e a planta se torna grandiosa. As aves nela se alojam, procurando agasalho nos seus ramos...

O fermento insignificante leveda a massa toda.

O tesouro que um homem encontrou é tão valioso, que tudo quanto possuía vendeu para tê-lo seu.

Outro homem descobriu uma pérola de incomparável valor e de tudo se desfez para consegui-la...

Uma rede lançada ao mar reuniu muitos peixes, bons e maus, que foram separados pelo pescador. Assim, mais tarde, serão separados os homens que se candidatam ao Reino dos Céus...

Outra parte caiu em pedregais, onde não havia terra bastante. Vindo o Sol, queimou-se, e secou-se, porque não tinha raiz...

As coisas ocultas, Ele as desvela em parábolas.

Era uma vez...

Um homem, pai de família, preparou a terra, plantou-a, circundou-a de um valado, e construiu nela um lagar, edificou uma torre e arrendou-a a trabalhadores. À época dos frutos mandou buscar a parte que lhe pertencia. Os posseiros da terra mataram os primeiros servos, os que vieram depois, e mesmo o *Filho do Homem*, os criminosos O mataram. Quando, porém, o dono veio...

O pai disse ao filho: – *Vem trabalhar em minha vinha.*

– *Não quero!* – mas, arrependendo-se, foi. Chamado o segundo filho, este respondeu:

– *Vou!* – mas não ligou importância...

O rei, chegando a ocasião das bodas do filho, mandou os servos convidarem amigos. Os amigos, porém, não quiseram ir. Novos áulicos saíram a repetir o convite, narrando a excelência do banquete que os aguardava, mas eles não desejaram experimentá-lo. Revoltados com a insistência do rei, mataram os servos. O rei, sabendo da ingratidão dos convidados, ordenou ao seu exército que fosse exterminar os homicidas...

Dez eram ao todo.

Cinco eram noivas loucas. Gastaram o óleo e ficaram sem luz. Puseram-se a dormir. Ao chegarem os noivos...

Eram cinco noivas, virgens e loucas...

– *Eu sei que és severo. Amedrontado, enterrei o seu talento, o que me confiaste.*

– *Mau servo! Tomem quanto tem e deem-no a quem já o tem.*

As melodias cantam no ar leve e transparente.

...Outra caiu entre espinhos e os espinhos cresceram, e sufocaram-na...

Quem põe uma candeia acesa sob o alqueire ou escondida?

Uma figueira-brava à borda do caminho foi solicitada à doação de frutos; como não fosse ocasião própria de produzi-los, foi considerada inditosa, digna de ser arrancada e lançada ao fogo até converter-se em cinza...

Respondeu-lhe o enfático doutor da Lei: – *Aquele que usou de misericórdia com ele.*

Vai e faze o mesmo. Esse é o teu próximo...

Amigo, empresta-me três pães.

– *Não me importunes.*

Levantar-se-á esse amigo para livrar-se do importuno.

Oh! Dize a meu irmão que reparta os seus bens comigo.

– *Quem me pôs a mim por juiz ou repartidor de bens?*

Nunca te sentes nos primeiros lugares, sem que tenhas sido mandado pelo teu anfitrião...

...E outra caiu em boa terra, e deu fruto: um a cem, outro a sessenta e outro a trinta...

Hipérbatos, sínquises e hipérboles vestem as abstrações; e, como poemetos, são excertos de vida as canções do Reino de Deus.

Era uma vez...

Um credor tinha dois devedores, e como ambos não lhe pudessem pagar...

Bem-aventurados aqueles servos, os quais, quando o Senhor vier, achar vigiando!...

"Qualquer que não levar a sua cruz, e não vier após mim..."

– *Pai, pequei contra o céu e perante a ti; já não sou digno de ser chamado teu filho; faze-me como um dos teus jornaleiros.*

– *Trazei o melhor vestido e vesti-o, pondo-lhe um anel na mão, alparcas nos pés. Este meu filho estava morto, e vive; tinha-se perdido, e foi achado...*

E o fariseu dizia: eu pago o tributo, sou justo, cumpro com os deveres que a Lei prescreve... Mas aquele que ali está...

No entanto, o Senhor lhe disse...

Louvou o amo aquele mordomo injusto por haver procedido prudentemente, porque os filhos deste mundo são mais prudentes na sua geração do que os filhos da luz... Granjeai amigos... Quem é fiel no mínimo, também é fiel no muito...

E a viúva dizia: faze-me justiça contra o meu adversário...

Far-lhe-ei justiça, disse o juiz, para que ela não volte a importunar-me...

Deu-lhes dez minas...

Havia um homem rico, a quem, depois de morto, Abraão disse...

Estes, os últimos, são os primeiros e os primeiros serão os últimos...

Quem tem ouvidos, ouça...

E Ele falava por parábolas.

Parábolas, "alegorias que escondem verdades".

Revestidos da pureza das pombas e da vivacidade das serpentes os discípulos da verdade chegam à vida.

"Se a vossa fé for do tamanho de um grão de mostarda..."

O semeador saiu a semear...

Parábolas, verdades nas alegorias.

⸙

Os grãos se transformam em grãos e a messe afortunada é ouro em pendões de vida.

Simples e desataviadas, suas palavras são palavras da boca do povo. Ninguém, no entanto, as coordenava como Ele as enunciava.

Havia realmente "algo" n'Ele, na sua forma de dizer.

Ninguém fala como Ele fala – murmuravam até mesmo os que, conspirando, procuravam motivo de traí-lO.

Fala com autoridade – reconheciam todos.

⸙

A semente é luz e vida.
Vida na semente.
Luz na Vida.

⸙

O Bom Pastor dá a Vida pelas suas ovelhas.

Entrando pela porta estreita, a que se caracteriza pelas dificuldades, o acesso ao reino da Ventura plena se faz triunfal.

Vigiando à porta de entrada, pode o morador defender a casa do assalto dos bandidos que espreitam e se vestem de sombras para a agressão nas sombras.

Os escolhidos são os grãos felizes que se multiplicam em mil sementes compensando a sementeira toda.

❧

A charneca das paixões é planície de esperança sob a ação da semente.

Na imensa várzea, porém, o dia a dia das criaturas se transforma em lutas por nada.

O solo a arrotear, imenso, quase ao abandono...

O semeador saiu a semear.

❧

Parábolas e espírito de vida.

Vida nas parábolas.

Aos seus, aos discípulos, Ele as explicava.

❧

Já não é dia.

O negro tule da noite corisca nos engastes alvinitentes dos astros, e o vento canta uma onomatopeia em litania ininterrupta.

O semeador repousa.

O Reino dos Céus está dentro de vós...

Vós sois deuses...

Buscai primeiro o Reino...

Quando eu for erguido atrairei todos a mim.

❧

A madrugada da Era Nova raia.

O semeador foi erguido... numa cruz.

Rasgados, os braços atraem, o coração aguarda.

Caminho para a Vida – o semeador.

Caminho até a porta – o semeador.

A cruz das renúncias e sacrifícios como uma áspera charrua na gleba do espírito – ponte entre os abismos: o "eu" propínquo e "ele" próximo – longínquo.

A charneca reflete a estrela.

A estrela desce ao charco, fica presa à água que a retém e repousa na montanha altaneira.

O semeador espera...

Ele saiu a ensinar por parábolas.

E outras caíram em terra fértil e produziram.

A semente é a Palavra para quem busca a Verdade.

A verdade é a Vida.

O semeador saiu a semear...

7

O PARALÍTICO DE CAFARNAUM

A cidadezinha repousava no lado setentrional do Lago de Genesaré. Em derredor, os cômoros se estendiam prenhes de olivais verdejantes, vinhedos luxuriantes a se debruçarem sobre terras altas e penhascos nus, com rochas salientes. Os vales eram frescos, cortados por arroios cantantes e cascatinhas alvinitentes.[16]

Suas praias e suas águas piscosas eram disputadas pelos pescadores; as redes demoravam-se abertas ao Sol, sombreando as pedras lapidadas pelo atrito das vagas; e, nas areias, figueiras velhas e tamareiras abriam os braços e leques balouçantes.

Cafarnaum era um poema de ternura com seu casario baixo, esparramado entre árvores frondosas, marchetadas por trepadeiras de miúdas flores coloridas.

16. Mateus, 9: 1 a 8; Marcos, 2: 1 a 12; Lucas, 5: 17 a 26 (nota da autora espiritual).

Ele amava aquela cidade e a escolhera para o início do seu ministério de amor.

Maio desatava os raios ardentes do Sol, e o arvoredo parecia de pedra, sem os meneios ondulatórios que os ventos lhe impõem.

Desde a véspera a notícia correra de boca em boca, atraindo curiosos e sofredores das cercanias.

Embora impusesse silêncio ao leproso que curara, e rogasse à sogra de Simão nada dizer do *que lhe acontecera*, o silêncio era quase impossível.

Os olhos da necessidade e do sofrimento espiam na penumbra as mais débeis flamas da esperança e atiram os aflitos na sua direção.

Doava o seu amor àquelas populações ribeirinhas com estremecimentos, pois que ali também reencontrava o amor nos corações simples e ingênuos das gentes.

Chegara o momento de o Pastor levantar-se para conduzir o rebanho imenso, vencer rudes tratos de terra, ásperos caminhos e transpor abismos.

Era o prelúdio da Mensagem e o início das Suas dores...

As atividades foram febricitantes e variadas.

As queixas e dores da multidão encheram o ar de miasmas afligentes. Embora o número dos sarados, estes anunciavam, em alegria, a saúde recuperada e novos magotes chegavam em desalinho, a mercadejar as misérias em que se refugiavam.

A face do Rabi, serena, estava sulcada, e o ar pesado na sala, sem ventilação, abafava. O tumulto não cessava, e os apelos e imprecações redobravam em todas as bocas...

De pé, à porta, Simão deixa-se arrastar por indizível felicidade. Atrás, no quintal do lar, que se alongava até a praia, estava o mar que ele muito amava. À frente, no meio da multidão, Ele estava curando e consolando as aflições da Terra, como Embaixador dos Céus. E intimamente agradecia a Deus por ter sido escolhida a sua casa, ter sido chamado ao Seu rebanho. As horas escoaram-se sem que disso se apercebesse; as emoções eram tantas e de tão difícil explicação, que se deixava arrastar docilmente entre os jogos de dor e da alegria que presenciava: esgares se transformavam em sorrisos, lágrimas em cânticos, feridas purulentas em tecidos lavados... ante a imposição das Suas mãos, ou a vibração da Sua voz, ou a luz dos Seus olhos... Em Israel jamais se presenciara acontecimento parecido. Os Espíritos imundos fugiam, e a dor perdia a voz ante a ordem d'Ele...

Os olhos de Simão, faiscantes, encontraram-se com os olhos d'Ele. Teve, por momentos, a impressão de que Ele lhe pedia auxílio. A face parecia transparente, e o cansaço se Lhe estampava no rosto suarento e sofrido...

O rude pescador compreendeu: a multidão era insaciável, a dor não tinha limite; fazia-se mister ajudá-lO, retirando-O dali.

Rompeu a massa e gritou:

– *O Mestre está fatigado!*

Tomou-O pelo braço, carinhosamente, com ternura e O conduziu à praia.

As estrelas começavam a rutilar no firmamento vencido pelo crepúsculo, que deixava, além das montanhas do outro lado do lago, uma fímbria de ouro iriante.

Lufadas de vento morno chegavam à crista das vagas, e alvas rendas de espumas despedaçavam-se nas praias sequiosas dos beijos das águas.

O Rabi sentou-se sobre as raízes altas de velha árvore, que abria os braços em direção ao lago e, em silêncio, perdeu-se em meditação.

Simão, como um amigo fiel, sentou-se ao lado e pôs-se a contemplar-lhe o rosto pálido, exaurido.

Os cabelos de cor âmbar, encaracolados, esvoaçavam em desalinho entre os *pentes* do vento, e os dois olhos pareciam profundos e misteriosos como o seio das águas a que ele se acostumara desde cedo.

Como era belo o Rabi! – pensava Simão. Possuindo uma beleza como os seus olhos jamais viram igual. Havia n'Ele qualquer *coisa* que O fazia diferente de todos os homens. Magro e bem constituído, não chegava a ser um atleta, mas não era também franzino, nem tíbio. Era dono de força grandiosa e de majestade invulgar. Simples e bom, era sábio e humilde. Profundo conhecedor das misérias humanas, procurava os oprimidos e sofredores para aliviá-los. Falava pouco e dizia muito, em palavras que todos pronunciavam, mas que ninguém pronunciava como Ele. Havia, no entanto, naquele Homem simples e puro, portador de invulgar beleza de corpo e espírito, tons de profunda melancolia!...

Simão perdeu-se em meditação também.

Somente a noite falava e acompanhando as vozes da Natureza.

Inesperadamente, como se chegasse de muito longe, Simão voltou a fitá-lO, e só então percebeu. Os olhos grandes e claros do Rabi estavam imersos em lágrimas.

Com o coração desatrelado e em desassossego íntimo que dele se apossou, inquiriu, ansioso:

– *Rabi, estás chorando?...*

– ...

– *...de felicidade, suponho, em se considerando os eventos felizes deste dia, não é verdade?*

A interrogação continuou no ar, na noite murmurante.

A velha árvore sacudia os ramos, e a voz do lago fazia um cantochão especial com ondas arquejantes nas praias imensas.

– *Choro, Simão!* – respondeu pausadamente. – *Choro, sim, de tristeza, compadecido.*

– *Mas, Mestre, não compreendo. Hoje Te expuseste aos fariseus astutos e solertes, aos escribas ambiciosos e falsos, que vieram espreitar, à malta dos traidores e, à vista de todos, perdoaste pecados e curaste, silenciando-os com sabedoria e elevação... e choras?!*

– *Sim! Pois que não me compreendeis, tu e eles. Certamente que não espero ser entendido. Tenho, no entanto, piedade deles, os desassisados, e os lamento.*

Natanael ben Elias, numa estalagem da cidade, exultava entre bilhas de vinho capitoso e amigos truculentos.

– *Aconteceu-me um prodígio na minha desdita* – comentava com alacridade.

– *Fala-nos, conta-nos o que te aconteceu, pois que duvidamos do que nos narraram!* – exclamaram diversos a uma só voz.

– *Sucedeu-me tão repentinamente* – prosseguiu – *que me encontro ainda atordoado.*

Como todos sabem – enxugou o suor do rosto alterado pela emoção –, *desde há muito tempo a paralisia e as febres me rondavam o corpo, terminando por imobilizar-me em total prisão, num leito infecto e detestável, impedindo-me qualquer movimento. Transformaram-me num réprobo repulsivo.*

Esquecido, no meu catre, até há pouco, era vítima de extrema miséria física e moral.

Aguardava a morte, que tardava, como uma libertadora.

Ouvi falar d'Ele e chorava por conhecê-lO. Secreta intuição informava-me que Ele poderia curar-me...

Hoje, sabendo-O aqui, em Cafarnaum, pedi a amigos que me conduzissem à Sua presença, e estes, carregando o grabato onde eu expungia minhas amargas penas, levaram-me à casa onde Ele se encontrava. A multidão era tão compacta que não me puderam levar pela porta.

Em derredor o alarido, o desespero e as altercações compunham cenas lamentáveis e dolorosas.

Ante a aflição que se desenhava na minha face descarnada e o desespero que me dominou, um dos amigos alvitrou erguer-me ao terraço e descer-me pelo teto à sala onde Ele estava. E assim o fizeram. Subiram os degraus laterais da vivenda de Simão, o pescador, e arrebentaram os adobes, rasgando nervosamente as esteiras e ramos de palmeiras entre uma e outra trave de segurança, até conseguirem uma abertura suficiente para passar minha enxerga, descendo-me por ela, atado a cordas, até Ele.

A sala apinhada abriu pequeno espaço e, como se Ele me esperasse, fitou-me demoradamente, em silêncio, examinando a minha ruína orgânica. Descerrou os lábios e falou:

– *Natanael ben Elias, crês que Eu te posso curar?*

A voz era veludada e forte, meiga, no entanto, e firme.

– *Sim* – respondi-Lhe –, *creio-o!*

Um estremecimento sacudiu-me. Houve um grande silêncio e mesmo o calor pareceu diminuir.

– *Senhor!* – exclamei. – *Como sabes o meu nome? Conheces-me?*

– *Sim, eu te conheço, Natanael, "desde ontem". Sou o Bom Pastor, e em razão disso conheço nominalmente todas as ovelhas que o Pai me confiou.*

Não compreendi, confesso, o que Ele disse sobre o desde ontem. Nunca O vira antes, nem jamais me visitara...

– *Teus pecados* – exclamou – *estão perdoados!*

Houve murmurações e uma exaltação de ódio na assistência. Eu próprio me perturbei.

Quantas vezes eu pensara em seguir uma vida limpa e decente se voltasse a movimentar-me, a acionar as pernas, não saberia dizê-lo. No entanto, àquela hora, eu indagava: seria Ele capaz de perdoar pecados? Não estaria blasfemando? O suor corria-me em bagas pelo corpo sujo e macilento.

Como se Ele ouvisse os pensamentos mais secretos, sem recear, desafiou:

– *Que é mais fácil? Dizer ao paralítico: perdoados são os teus pecados; ou dizer: levanta-te e anda?*

E, voltando-se para mim, distendeu os braços e alongou as mãos, falando-me, imperioso:

– *Levanta-te: toma a cama, e vai para a tua casa.*

Oscilei como uma cana ao vento, desejei falar algo e não pude.

Ergui a cama, explodi num grito de ventura: salve, Rabi! E voltei dando hosanas, ante a admiração de quantos me conheciam.

Não compreendo, porém, o que me sucedeu; parece-me um sonho do qual receio acordar.

– Bebamos, em gáudio – gritaram todos em redor –, *comemorando a tua volta à saúde... e ao prazer. Exibe o corpo para que o vejamos sem marcas, sem feridas e mais o creiamos...*

Música sensual, soluçando entre dedos de mulheres infelizes, arrendadas na Núbia e outras terras para o comércio carnal, a empunharem instrumentos de cordas e adufes, enchendo a sala ampla, que exalava odores exóticos.

Lá fora a noite espiava a Terra pela visão das estrelas.

– Por que dizes que não Te compreendemos, Rabi? Estamos todos tão felizes!

– Simão, neste momento, enquanto consideras o Reino de Deus pelo que viste, Natanael, com alegria infantil, comenta o acontecimento entre amigos embriagados e mulheres infelizes. Outros que recobraram o ânimo ou recuperaram a voz, entre exclamações de contentamento, precipitam-se nos despenhadeiros da insensatez, acarretando novos desequilíbrios, desta vez irreversíveis.

Não creias que a Boa-nova traga alegrias superficiais, dessas que o desencanto e o sofrimento facilmente apagam.

O Filho do Homem, por isso mesmo, não é um remendão irresponsável, que sobre tecidos velhos e gastos costura pedaços novos, danificando mais a parte rasgada com um dilaceramento maior. Seria um desastre depositar em vasilhas imundas e velhas o vinho novo e capitoso, que fermentaria com precipitação.

A mensagem do Reino, mais do que uma promessa para o futuro, é uma realidade para o presente. Penetra o íntimo e dignifica, desvelando os painéis da vida em deslumbrantes cores...

Eu sei, porém, que me não podeis entender, tu e eles, por enquanto. E assim será por algum tempo.

Mais tarde, quando a dor produzir amadurecimento maior nos Espíritos, eu enviarei Alguém em meu nome para dar prosseguimento ao serviço de iluminação de consciências. As sepulturas quebrarão o silêncio em que se guardam e Vozes, em toda parte, clamarão, lecionando esperanças sob os auspícios de mil consolações...

O Mestre silenciou por um momento.

Os olhos do velho pescador, faiscantes, expressavam as emoções que lhe cantavam no âmago do ser.

O ar leve perpassava entre as folhas do arvoredo, enquanto a preamar predizia uma grande parada na pulsação da Natureza.

– *E, quando o Consolador chegar* – interrogou o discípulo emocionado –, *os homens o receberão compreensivamente?*

– *Não, Simão!* – respondeu Jesus. – *Não a princípio.*

Os métodos eficazes para curar e disciplinar são severos e, por isso mesmo, indesejados. No entanto, esse Enviado ficará indefinidamente ao lado da Humanidade, ajudará sem cansaço e lentamente elaborará a Era da Paz e da Alegria sem jaça.

Removerá velhos óbices, promoverá a reestruturação social à base do amor que, então, invadirá todos os departamentos da vida, inaugurando sentimentos de solidariedade em todos os corações...

A face do Mestre se transfigurara.

Simão não pôde sopitar as lágrimas que lhe correram espontâneas.

E os séculos correram ágeis através da ampulheta dos tempos.

8

A APELANTE CANANITA

Quem atravessasse a fronteira da Fenícia, na direção de Tiro e Sídon, encontrava-se nas antigas terras dos cananeus.[17]

Naquele território residiam os descendentes cananitas também chamados siro-fenícios, de modo a diferenciá-los dos fenícios da Líbia, pois que desde os dias de Pompeu, o triunfador, a Fenícia fora incorporada à Síria.

Com as constantes migrações trazidas pelos conquistadores desde os tempos dos Macedônios, dos Ptolomeus, dos Lágides, os povos cananeus mesclaram-se com os invasores e promoveram a proliferação do culto das diversas deidades que se misturavam a Moloc, Baal, Tanit... E os deuses do Egito e da Hélade.

Enquanto na Judeia os propósitos de helenização experimentaram a mais rigorosa reação, preservando-se o país qual oásis de vida com o culto ao "Deus Único", na Fenícia, como na Síria, a miscigenação estendera-se

17. Mateus, 15: 21 a 28; Marcos, 7: 24 a 30 (nota da autora espiritual).

igualmente à religião, ensejando ao paganismo orgíaco desenfreado curso.

Ao tempo da universalização dos cultos por decreto imperial em Roma, entre os cananeus já havia uma perfeita assimilação das ideias disseminadas pelas crenças e tabus dos que deambularam pelas suas províncias.

As cidades de Tiro e Sídon, que Jesus e os Doze seguiam a conhecer, eram famosas pela manufatura de artigos de luxo e conhecidas pelas lendas que povoavam a mente ocidental em torno do Oriente.

Os templos pagãos ali esplendiam, majestosos, entre bosques perfumados. As construções de mármore lavrado se levantavam formosas, destacando-se no panorama de relva verdejante.

❧

Os ânimos naqueles dias estavam exaltados.

O desatavio das palavras vigorosas do Rabi não permitia equívocos. Seus ensinos eram sementes da verdade.

Interrogado, respondia com lúcida segurança. Seus conceitos não se coadunavam com as estranhas práticas em voga nem se subalternizavam às legislações correntes.

Instituindo um sentido de direção firme aos que O seguiam, estabeleciam Seus comentários o paralelo inevitável entre o farisaísmo e a Boa-nova.

Integérrimo, jamais se curvaria à bajulação ou ao despotismo.

Tendo enfrentado com estoicismo os que vieram de Jerusalém para inquiri-lO, resolvera, logo depois, demandar outros sítios.

Chamou os discípulos e rumou a noroeste, seguindo o curso do Jordão como se lhe buscasse as nascentes...

Não era a primeira vez que iria encontrar-se com o *gentio*...

O Seu nome já atravessara os limites estreitos da Galileia e muitos foram ouvi-lo, informados por viajantes e caravaneiros que venceram as distâncias.

Próximo, o mar refletia os céus esfogueados do entardecer e a brisa corria ligeira, carregada de aromas exóticos.

Os discípulos, embora silenciosos, inquiriam-se, mentalmente, sobre os objetivos que os levavam àquelas cidades pagãs e *gentias*, impenitentes.

Para trás ficaram o Grande Hermom, as cordilheiras, as terras abençoadas...

Os cultos execrandos dos pagãos respiravam sordidez. Que vieram ali fazer?

O Judaísmo era a revelação, e o Mestre representava a resposta de Deus aos aflitivos apelos dos homens, sabiam-no. Seria justo que se mesclassem aos desafortunados adoradores de ídolos?

Vencidas as distâncias, caminharam por largas horas da noite, até chegarem a Tiro. Atravessaram a cidade sem qualquer incidente e buscaram repouso.

No dia seguinte, antes de vencerem um estádio além das portas da cidade, dirigindo-se a Sídon, uma voz aflita levantou, vendo-os passar e seguindo-os de perto, exclamando:

– *Senhor, filho de Davi, tem piedade de mim, pois que minha filha está miseravelmente possuída de espírito demoníaco.*

Alguns dos companheiros voltaram-se e contemplaram a mulher aflita que rogava socorro.

Era, porém, uma estrangeira...

Mesmo que fosse descendente de Israel, pois que ela O identificava como "Filho de Davi", professava, naqueles termos, religião execrável, abjeta. Não lhe deram importância.

Como continuasse o lamento-apelo em desenfreada algaravia, alguns se acercaram d'Ele e sugeriram:

– Despede-a, pois que vem gritando atrás de nós.

Estugando o passo, Jesus respondeu compassivo à mulher aflita:

– Eu não fui enviado senão às ovelhas perdidas da casa de Israel.

A voz era enérgica, embora traindo doçura no timbre e piedade na expressão.

A mulher, num átimo, recuou mentalmente e recapitulou a vida. A filha era o seu tesouro, fortuna que lutava por preservar. A desventura tudo lhe tomara ao longo dos anos: felicidade, esposo, amigos. Lutava destemidamente por futuro melhor e nele, a filhinha ocupava o centro. Não se recordava de uma falta contra os Céus.

Refez-se, na sua condição de humildade, e, reconsiderando, suplicou:

– Senhor, socorre-me!...

A dor e a extrema confiança eram-lhe patentes.

Jesus fitou-a demoradamente, como se ponderasse o que iria argumentar.

Sabia do alto quilate de fé que vitalizava aquele coração, conhecia, porém, o orgulho israelita e o desprezo que se votava ao estrangeiro.

De outras vezes, ao lado dos que eram detestados ou socorrendo os não tutelados de Israel, era visto com desconfiança, senão com desagrado. Agora, no entanto, estava diante de alguém que portava amor e fé como gemas de luz no íntimo.

Desejando aplicar severo corretivo naqueles que o seguiam de perto, exclamou com ironia:

– *Não é bom pegar no pão dos filhos e deitá-lo aos cachorrinhos.*

Cães eram aqueles que não participavam da eleição israelense.

A expressão *cachorrinhos* soava como terna admoestação. A imagem forte falava por si mesma.

A cananeia entendeu que a sua condição não lhe ensejaria outra oportunidade. Sofria e resignava-se.

Vencendo-se a si mesma e dominada pelo amor maternal, retrucou, confiada:

– *Sim, Senhor, mas também os* cachorrinhos *comem das migalhas que caem da mesa dos seus senhores.*

A mensagem d'Ele destinava-se a Israel, sem dúvida, onde a dureza da Lei e o orgulho preponderavam; mas o Seu Reino abrangeria a Terra toda...

Desejava, através daquele diálogo, lecionar o poder da humildade, como ensinamento que se insculpisse no Espírito dos discípulos.

Exultante com a firme confiança da cananeia e com a sua elevada simplicidade, o Mestre não lhe inquire a crença nem a raça, não lhe reprocha a vida nem lhe censura o alarido, diz-lhe somente e com amor:

– *Oh! Mulher, grande é a tua fé! Seja isso feito para contigo, como tu desejas.*

⁂

Era estranhável a atitude inicial do Justo, ignorando a aflição de quem lhe rogava socorro. Naquele gesto de aparente indiferença, Ele anelava tocar o coração dos amigos que, todavia, não intercederam a favor da sofredora, hábito infeliz, aliás, que pareciam cultivar.

A doçura, porém, a fraqueza e a desproteção daquela mãe tocaram o Senhor.

Exalando misericórdia, o Rabi, a distância, expulsou o Espírito obsessor da jovem mediunizada em processo de longo curso e prosseguiu impertérrito.

O exemplo, que também se encontra na cura a distância, dispensada ao filho do Centurião, é alimento para todos os povos, para os homens do futuro.

A palavra forte e a vivência austera de Jesus penetrariam as multidões de todas as épocas não felicitadas, como Israel, pela Sua presença. Os judeus, no entanto, que O não receberam, por sua vez experimentariam longas etapas de provações rudes como efeito da própria insanidade – látego de fogo na consciência a fazê-los expungir.

⁂

E chegando a casa, a mulher encontrou refeita, em gozo de saúde, a filha amada.

A semente da esperança que o Rabi depositou no seu coração transformou-se em lâmpada radiosa que a clareou intimamente a vida inteira.

9

A MULHER DA SAMARIA

A Samaria já não desfrutava as glórias do passado, ao tempo do esplendor e da impiedade de Acabe e Jezabel. Destruída em 722 a.C. por Sargão II, irmão e sucessor de Salmanasar V, ali se instalaram os assírios e povos exilados de toda parte do Império que se estabeleceram numa amálgama de raças e crenças generalizadas.[18]

Ao tempo de Esdras, como perdurasse a profunda cisão que tivera desfecho em 935 a.C. depois da morte de Salomão, um sacerdote de Sião, desligado do Templo, erigira sobre o Monte Garizim um santuário opulento para rivalizar com o de Jerusalém.

Arrasada pelos macabeus comandados por João Hircano, em 128 a.C., fora, no entanto, reedificada por Herodes, que a denominou Sebaste ou Augusta.

---

18. João, 4: 1 a 42 (nota da autora espiritual).

Num desfiladeiro de quase 600 metros de altitude entre Hebal e Garizim, havia velha aldeia denominada Siquém,[19] mais conhecida, todavia, por Sicar.

A cidadezinha histórica conhecera patriarcas e juízes e vira Josué reunir o *povo eleito* para ali jurar fidelidade à Aliança.

⸙

Saindo de Jerusalém, no dia anterior, demandando à Galileia, Jesus abandonara a estrada real cujo traçado levava de Jericó e Bataneia, seguindo o tranquilo curso do suave Jordão, para galgar as montanhas de Efraim, penetrando os limites da Samaria, evitados pelos nascidos em Judá.

A vereda áspera e cheia de pedregulhos coloria-se de súbito com loendros ondulantes que se alternavam com sicômoros desgalhados, por entre os quais, ao entardecer, ventos alísios refrescam o próprio Yahweh em seu jardim, como nos mostra a linguagem bíblica.

As espigas douradas ondulavam ao vento morno da hora sexta,[20] no imenso trigal esparramado pelo Vale de Macneh.

O pó, acumulado ao longo da estrada serpenteante entre cortes abruptos, macio como um dossel, levantava leves nuvens ao sopro do ar que desce do espigão de montanhas abrasadas.

Do cimo dos montes via-se o mar de longe, àquela hora, por entre colinas esguias.

---

19. Siquém: dorso.
20. Meio-dia (notas da autora espiritual).

O solo anfractuoso coleia e se contorce entre as montanhas até aplainar-se no vale viridente.

Nuvens brancas e esgarçadas deslizavam pela amplidão do céu azul.

A jornada do Mestre e seus discípulos fora longa: cerca de cinquenta quilômetros.

A garganta ressequida, o corpo cansado e coberto de pó pedem linfa cristalina e refrescante.

Ao chegarem às cercanias da cidade, o Rabi assentou-se junto ao tradicional *Poço de Jacó*, nos terrenos que pertenceram a esse venerando ancião e foram legados ao seu filho José, onde ficara sepultado.

Os discípulos subiram à cidade para a aquisição de víveres e frutas, enquanto Jesus aquietou-se em profundo cismar perdido na paisagem colorida.

Cântaro ao ombro, mergulhada em íntimas inquietações, uma mulher desce ao poço sob o Sol requeimante e a pino.

Surpreende-se com o estranho olhar que lhe dirige o forasteiro judeu, que ali parece aguardá-la.

Atira, porém, o vaso sobre a água e recolhe o precioso líquido na bilha que repousa sobre o paiol.

Sente-se intranquila, como se algo estivesse para suceder-lhe.

Emoções desconhecidas tumultuam-lhe o Espírito.

Quando se dispõe a tomar o vasilhame e retornar ao lar, ouve:

– *Dá-me de beber!*

Volta-se, surpresa, dominada por estranhos e profundos ressentimentos.

Como ousa aquele *estrangeiro* dirigir-lhe a palavra, atentando contra os costumes vigentes? – interroga mentalmente. Que homem é este que se atreve a dirigir a palavra a uma mulher, sabendo-se que ninguém ousava fazê-lo na rua, mesmo que fosse à esposa, filha ou irmã? Ignorará ele essa regra comezinha, parte integrante dos deveres sociais? E, solerte, retruca, com proposital ironia na voz, com que extravasa a própria amargura:

– *Como, sendo tu judeu, me pedes de beber a mim, que sou mulher samaritana?*

No vale, maio cantava através de mil cigarras no trigal; a estrada deserta e silenciosa perde-se montanha adentro.

Jesus conhece as dimensões que separam os dois povos: judeus e samaritanos.

Não seria esta a única vez que Ele provocaria *escândalo* afrontando costumes odientos e convencionais.

Tem uma mensagem a dar – mensagem de conciliação e consoladora.

Para isso deixara propositalmente a estrada do Jordão e subira as serras. Programara aquele encontro desde antes...

Aquela mulher, Ele a escolhera para ser a condutora do seu aviso a Siquém.

Responde-lhe, então, sem aspereza nem revide, por conhecê-la, talvez, intimamente.

Sua voz é cantante, compadecida:

– *Se tu conhecesses o dom de Deus, e quem é o que te diz: dá-me de beber, tu lhe pedirias, e Ele te daria água viva.*

Vibrações incomparáveis estrugem no coração da mulher.

Guardava ânsias de paz e não sabia como ou onde encontrá-la.

Uma dúvida, porém, a inquieta.

O espanto dá-lhe à voz uma tonalidade de respeito.

– *Senhor!* – exclama. – *Tu não tens com que a tirar, e o poço é fundo; onde, pois, tens a água viva? És tu maior do que o nosso pai Jacó, que nos deu o poço, dele bebendo, ele próprio, seus filhos e o seu gado?*

Os olhos do estranho fulguram com fascínio desconhecido.

A revelação não tarda; a mensagem espraiar-se-á no ar, embalando o mundo, quando Ele a enunciar.

– *Qualquer que beber desta água tornará a ter sede* – foi explícito –, *mas aquele que beber da água que eu lhe der nunca terá sede, porque a água que eu lhe oferecer se fará nele uma ponte d'água que saltará para a vida eterna.*

– *Dá-me dessa água* – disse pressurosa – *para que não mais tenha sede, e aqui não venha tirá-la.*

Penetrara a mulher o sentido das palavras do Rabi? Desejava libertar-se da exaustiva tarefa ou buscava mais clareza no ensino?

Os meigos olhos d'Ele incendeiam-se e se fixam nos olhos dela, penetrando-lhe o recôndito do espírito.

– *Vai chamar o teu marido e vem cá* – ordena-lhe com brandura e segurança.

Ela se perturba.

Era uma pecadora, e Ele o sabia – conjectura...

Esse era o seu tormento íntimo.

Quanto se sentia ferida, humilhada no seu amor, receosa!...

As lágrimas afloram e escorrem abundantes; a palavra empalidece o vigor nos seus lábios e, quase sem fôlego, esclarece:

– *Não tenho marido...*

A vergonha estampa no seu rosto moreno a própria dor.

– *Disseste bem: não tenho marido* – confirmou Jesus. – *Pois que cinco maridos tiveste, e o que agora tens não é teu marido; isto disseste com verdade.*

Surpreendida, a samaritana não mais oculta a alegria, a felicidade.

Grita, quase:

– *Senhor, vejo que és Profeta.*

A mente está em desalinho.

Quantas dúvidas a atormentaram a vida toda!... Agora está diante de um Profeta de Deus. Deve aproveitar cada instante, reabilitar-se, encontrar a paz, por fim.

Comovida, interroga com docilidade.

– *Nossos pais adoraram neste monte, e vós dizeis que é em Jerusalém o lugar onde se deve adorar.*

– *Mulher, acredita-me* – elucida o Enviado Divino – *que a hora vem, em que nem neste monte nem em Jerusalém adorareis o Pai. Vós adorais o que não sabeis; nós adoramos o que sabemos porque a salvação vem dos judeus. Mas a hora vem, e agora é, em que os verdadeiros adoradores adorarão o Pai em espírito e em verdade; porque o Pai procura a tais que assim o adorem.*

A mulher, perplexa, enche-se de ventura.

Tão indigna se considera, no entanto, fora chamada à Verdade, ouvira o que nenhum ouvido jamais escutara antes.

No vale, as espigas continuam a oscilar e os loendros *cantam* ao sopro do vento.

O Desconhecido olha em derredor, e continua com música harmoniosa nas palavras:

– *Deus é Espírito, e importa que os que o adoram o adorem em espírito e em verdade.*

A humilde "aguadeira" terá compreendido a grandeza universal do ensino?

Transfigurada pela revelação, deseja informar-se com segurança, e indaga:

– *Eu sei que o Messias (que se chama o Cristo) vem; quando ele vier, nos anunciará tudo...*

A sinfonia imponente irrompe do coração do Mestre; e, ante a Natureza em silêncio e expectação, Ele conclui:

– *Eu o sou; eu que falo contigo! Por isso digo que a salvação vem dos judeus.*

O suor escorre-lhe pelo rosto rubro e másculo.

Já não há segredo.

Despedaçam-se as comportas do mistério e a verdade esparze alegria e consolo.

Não mais silêncios.

A mulher está conquistada.

O Reino amplia fronteiras entre os *desgarrados*...

Os discípulos retornam e "maravilham-se de que estivesse falando com uma mulher", mas nada disseram.

Tomando o cântaro, a samaritana demanda à cidade e, aos gritos, proclama:

– *Vinde, vede um homem que me disse tudo quanto tenho feito; porventura não é este o Cristo?*

Indagações explodem, espontâneas, em todos, admirados ante a natural declaração da informante.

Em grupos compactos os moradores de Sicar descem à fonte, onde o Rabi se demora com os discípulos, que instam para que se alimente.

Sem se perturbar com a multidão que O fita aturdida, explica aos companheiros, de modo a fazer-se ouvir por todos:

– *Uma comida tenho para comer, que vós não conheceis. A minha comida é fazer a vontade daquele que me enviou, e realizar a sua obra...*

Não dizeis vós que ainda há quatro meses até que venha a ceifa? Eis que eu vos digo: levantai os olhos, e vede as terras que já estão brancas para a sega. O que ceifa recebe o galardão, e ajunta fruto para a vida eterna; para que, assim o que semeia como o que ceifa, ambos se regozijem.

Porque nisto é verdadeiro o ditado: "Que um é o que semeia, e outro o que ceifa".

Eu vos enviei a ceifar, onde não trabalhastes; outros trabalharam, e vós entrastes no seu trabalho.

A terra se vestia de escarlate e as nuvens ficavam tintas com o ouro do entardecer que se avizinhava.

A mensagem é um brado de despertamento aos aprendizes inseguros e displicentes.

Ele semeia, o futuro colherá.

Ali está a gleba humana referta de corações para a semeação da Era Nova.

Fazia-se necessário estender a todos os prelúdios da paz, numa antevisão do Reino.

Aqueles eram pastores, agricultores, pescadores...

Entendiam a linguagem, conheciam o tempo e as circunstâncias.

Os louvores a Deus não mais se entoarão neste ou naquele recinto.

Erigido um altar no coração, o agricultor exalta-O na várgea recamada de sementes germinadas, o artista na obra rica de contornos, os sábios no poema das estrelas, os rudes no trato com os deveres humílimos.

A luz vem do alto e alarga-se pela planície...

Todos os ódios se apagam ante a Mensagem Nova.

Rompem-se barreiras, aplainam-se abismos.

Quebram-se os elos da escravidão e a desídia não medra.

Irrompe a paz nos corações.

Onde o homem se levanta para a vida, o Pai é adorado.

Deus já não pertence a um povo, a uma casta. É imanente em tudo e todos, e transcendente.

"Um só Deus e Pai de todos, o qual é sobre todos, por todos e em todos."[21]

Não importa o *agora* da vida, no que diz respeito a fruir gozo.

A abominação ao crime, à leviandade, à insensatez que a todos convida larga e facilmente, em titânica batalha íntima pelo equilíbrio; a perseverança no formidando esforço de preservação do bem; a renúncia ao "eu" enfermiço e ambicioso são as primícias de felicidade... àquele que se doe à Causa.

O galardão é a paz consigo mesmo e a inefável ventura depois, além das sombras...

21. Efésios, 4: 6 (nota da autora espiritual).

Por dois dias Ele ficou na Samaria a pregar, a curar, espalhando a certeza da Vida além da vida.

E todos diziam a Fotina:

– Já não é pelo teu dito que nós cremos; porque nós mesmos O temos ouvido, e sabemos que este é verdadeiramente o Cristo, o Salvador do mundo.

O céu diáfano diluía-se com os salpicos de flóculos de nuvens, quando, depois, Ele e os discípulos seguiram à Galileia.

Pela afeição com que se ligou a Jesus, primitivos cristãos, que se alentaram na sua coragem de proclamar as imperfeições, denominaram a Samaritana, *A Iluminadora*, que a tradição oral acatou e conservou, até os nossos dias.

10

EMBAIXADORES DA ESPERANÇA

Bethabara, ou “Casa da Passagem”, demorava-se num vau do Rio Jordão, onde as caravanas se encontravam para pernoites, após atravessarem o rio, em busca das cidades distantes.[22]

As notícias que chegavam àquela cidade cresciam e alcançavam sítios longínquos, conduzidas pelos viajantes pressurosos.

Ali estivera pregando João, conclamando à penitência, simbolicamente lavando os pecados e “abrindo os caminhos para o Senhor”.

No ar festivo que invariavelmente caracterizava os encontros, agora pairava a trágica notícia da decapitação do “Batista”, em Maqueronte, na região erma de Pereia.

---

22. Lucas, 10: 1 a 24 (nota da autora espiritual).

Uma tristeza profunda, cheia de mágoa e ressentimento, se refletia nos que ali passavam, recordando, talvez, os benefícios que recolheram do Apóstolo Precursor...

Com o término das Festas das Tendas, retornavam aos grupos que se demoravam pelas cidades do itinerário, visitando parentes, comentando, recordando...

Aquele mês de *tishri*[23] fora excitante.

Durante as Festas, em Jerusalém, o ódio judeu se aguçara, apertando-se o cerco em torno da figura do Messias.

Os dias e as noites frios permitiam, no entanto, os agrupamentos em Bethabara, como anteriormente nas quadras de pregações de João.

Dois anos atrás, o Rabi passara por aqueles sítios, e Sua alma continuava impregnada das emoções sublimes que a visitaram, quando se acercara das águas frescas e deixara-se batizar "para que se cumprisse o que estava escrito".

A permanência, agora, se faria mais demorada. A região da Pereia necessitava d'Ele...

Os dias, passava-os escutando os sofredores, atendendo aos enfermos, oferecendo as diretrizes do Reino.

As chuvas caíam fortes àquela época do ano, espalhadas por lufadas poderosas de vento.

Eles chegavam em grupos, provenientes de vários lugares. Durante todo o dia apareciam, desciam as encostas do rio, na direção de Bethabara.

---

23. Tishri: outubro; 7º mês do calendário religioso judaico (nota da autora espiritual).

Traziam no semblante as alegrias indizíveis da tarefa cumprida e do dever concluído.

Os corações cantavam salmodias, aguardavam ansiosos o momento de narrarem as ocorrências felizes da jornada encetada.

Aqueles homens não haviam visitado apenas as cidades populosas e as estradas reais. Estiveram nas aldeias e venceram os caminhos das montanhas abertos pelas cabras. Revezaram-se no afã apostólico, abriram clareiras e prepararam a sementeira.

Reuniram grupos às bordas do lago, nas praças dos mercados, junto das tendas...

Agora desejavam relatar.

A manhã brumosa ocultava o Sol comumente causticante naquela região. As árvores estavam sombreadas pela bruma pesada. As chuvas cessaram e a terra úmida parecia exultar de esperanças, como se aguardasse feliz semeadura.

Esperavam ansiosos a presença do Rabi, que saíra a atender necessitados das cercanias.

E enquanto esperam, recordam...

O Mestre fizera amigos entre os que O ouviam. Todos eram beneficiários do Seu amor e tudo fariam por atestar-Lhe gratidão. Exultavam de júbilo ao ouvi-lO pregar.

Depois de escolhidos os Doze, que se encarregariam de espalhar a Promessa do Reino próximo, Ele os chamara, dentre os que, na multidão, O escutavam e amavam. Dissera-lhes, algo comovido:

– *A seara é grande, mas os obreiros são poucos; rogai ao Senhor da seara que envie obreiros para a sua seara.*

Ide: eis que vos mando como cordeiros ao meio de lobos!

Não leveis bolsa, nem alforje, nem alparcas...

Em qualquer casa onde entrardes, dizei primeiro: paz seja nesta casa. Se aí houver algum filho da paz, repousará sobre ela a vossa paz; e, se não, voltará para vós. Ficai na mesma casa, comendo e bebendo do que eles tiverem, pois digno é o obreiro de seu salário.

Não andeis de casa em casa.

Em qualquer cidade em que entrardes, e vos receberem, comei do que vos puserem diante.

Espraiara o olhar e silenciara por momentos como se consultasse o Pai. Depois de breve pausa, prosseguiu:

– *Curai os enfermos que nela houver, e dizei-lhes: "É chegado a vós o Reino de Deus".*

– *Mas em qualquer cidade em que entrardes e vos não receberem, saindo por suas ruas, dizei: até o pó, que da vossa cidade se nos pegou, sacudimos sobre vós. Sabei, contudo, isto, que já o Reino de Deus é chegado a vós...*

Fulguravam, enquanto Sua boca enunciava as sublimes recomendações, os raios dourados do Sol no claro céu.

As terras áridas da Judeia contrastavam com os verdes campos da Galileia e as ricas searas fronteiriças ao lago.

Partiam com o Espírito febril de emoções inexplicáveis... E voltavam, felizes...

Filipe, que fora chamado para esparzir as sementes de luz, rogara primeiro "enterrar o pai"; ali estava, agora, ouvidos atentos, comovido até às lágrimas, escutando a narrativa eloquente dos seareiros ditosos. Tocado, seguiria depois a evangelizar, como diácono, a Samaria e o Saron, acompanhado das suas quatro filhas, todas médiuns-proféticas da Igreja Primitiva.

Matias, que substituiria Judas depois da tragédia da Cruz, ao ver o Mestre chegar, acercou-se com os demais e falou, exultante:

– Mestre, trazemos o coração rico de alegria, como a tâmara madura, encharcada de mel.

– Felizes, vós que pudestes amanhar o solo dos Espíritos!

– Quantos nos ouviam, pareciam escutar-vos a Vós, e a palavra em nossa boca se enriquecia de eloquência e melodia, vibrando musical saber que perturbava os mais sagazes e astutos; era como se estivéssemos tomados pelo Espírito Santo!

– Ditosos sois vós, por oferecerdes condição à Verdade...

E, recordando, com voz pausada, repassada de emoções superiores, continuava o discípulo, encantado:

– Ninguém nos rejeitou, em qualquer lugar. Os demônios submetiam-se docilmente, e muitos dentre os ex-possessos ajoelhavam-se aos nossos pés, adoravam-nos, como o fazem os pagãos diante dos seus ídolos. Esclarecemo-los, estarrecidos!

– Acautelai-vos e tendes vigilância. O mal é untuoso e a presunção envenena o Espírito. "Bem sei o que fizestes. Eu vi o Espírito imundo cair, atraído aos abismos", mas isto não é o bastante...

– Não experimentamos sede, nem fome, nem dor. Levantamos paralíticos, em Vosso nome, abrimos olhos apagados à luz e colocamos nossas mãos sobre eles, chamando por Vós.

– Eu vos acrescento a força de resistirdes ao mal, ao inimigo da verdade, "submetendo serpes e escorpiões aos vossos pés", mas ainda não é o suficiente...

– Não foram poucos os que se levantaram para cantar hosanas depois que explicamos os dias em que vivemos, o que ouvimos de Vós, o que temos visto...

E depois de uma pausa:

– ...Nossa alma canta de alegria e o coração extravasa!

Alongando os olhos pelo povaréu reunido e emocionado, o Mestre desejando manter firmes e dignas as diretrizes do Evangelho nascente nos corações, contemplou os discípulos vitoriosos ao retorno e arrematou:

– Não vos alegreis porque se vos submeteram os Espíritos; alegrai-vos antes por estarem os vossos nomes escritos nos céus.

E como todos se aproximassem para escutá-lO, exorou, sereno, o Rabi:

Graças Te dou, ó Pai,
Senhor do Céu e da Terra,
que escondeste estas coisas aos sábios
e inteligentes,
e as revelaste às criancinhas;
assim é, ó Pai,
porque assim te aprouve!

Os olhos fulguravam como madrugada celeste e o vento frio Lhe esvoaçava os cabelos despenteados. O rosto magro adquirira transparência e apresentara-se brilhante como se luz ignorada o banhasse interiormente, exsudando diáfana claridade.

E, vigoroso, prosseguiu com voz cristalina e forte:

Tudo por meu Pai me foi entregue;

e ninguém conhece quem é o Filho
senão o Pai,
nem quem é o Pai
senão o Filho,
e aquele a quem o Filho o quiser revelar.

Ignotas melodias cantavam no vento frio.

Abaixando a voz até à musicalidade da ternura, falou especialmente aos Doze e aos Setenta discípulos convocados para a extensão das Boas-novas:

Bem-aventurados
os olhos que veem
o que vós vedes.
Profetas e reis desejaram ver
o que vós vedes,
e não o viram;
ouvir o que ouvis,
e não o ouviram.

Pesado silêncio caiu, imediato, sobre todos.

As árvores balouçavam levemente.

O canto do Jordão no vale alargado pela cheia invadia as cercanias.

O Mestre retirou-se.

Os Setenta e os Doze procuraram as tendas.

Os ouvintes se dispersaram.

Dentre eles, os Setenta chamados para a expansão da Palavra de Vida, saíram Barnabé, que colaboraria eficientemente com o apóstolo Paulo; Sóstenes, que também cooperaria nos escritos aos Coríntios; Cléofas, um dos visitados na estrada de Emaús...

Ter *os nomes escritos nos céus* para servirem sem cessar à Causa da Verdade, encaminhados periodicamente à Terra.

Mil vezes seriam convidados à atitude branda de ovelhas entre os lobos do caminho evolutivo.

Renasceriam na indumentária carnal, séculos afora, recordando os ensinos do Rabi, investidos dos recursos de submeterem os Espíritos das Trevas, portadores do Verbo Inflamado, da pena rutilante, preparando os dias do Consolador nos longes do futuro. Mas voltariam, principalmente para viverem o Evangelho a se entibiar com o perpassar dos tempos, de modo a mantê-lo vivo e estuante até o momento da reconstrução do Mundo, no instante da sinfonia imponente entoada pelas vozes do Céu...

11

O TABOR E A PLANÍCIE

Com a força da sua realidade poderia ser considerado um díptico: as bênçãos de Deus no monte e os conflitos do homem em toda a pujança de suas cores na planície.[24]

Desciam Jesus, Pedro, Tiago e João das culminâncias do Tabor, onde comungaram com as excelências de Deus, ao encontro das baixadas espirituais das criaturas.

Há pouco, resplandecente, o Mestre estivera envolto por uma esfera de poderosa luz e dialogara com os venerandos antepassados do povo: Moisés e Elias.

As emoções ainda não se aquietaram na horizontalidade do habitual, e a curva descendente das dores tomava forma chocante no terra a terra das contingências humanas.

No alto, a visão da Vida verdadeira; ao sopé, as angústias junto aos sofrimentos.

24. Mateus, 17; Marcos, 9; Lucas, 9 (nota da autora espiritual).

– *Espírito mudo e surdo, eu te ordeno: sai dele, e não entres mais nele* – exortou Jesus com firmeza na voz, na qual a piedade se misturava à energia.

Não houve debate. Tudo simples. A cena breve culminou no declínio do jovem que ficara prostrado como morto, banhado por álgido suor, desfigurado.

O Mestre, comovido, curvou-se, tocou a fronte do ex-obsidiado e o levantou com gesto cativante.

Era quase um menino...

Sofria desde a mais tenra idade sob o jugo violento do impiedoso algoz desencarnado. As raízes do ódio nefando se perdiam nas sombras do passado, quando foram comensais da mesa farta da loucura e se enredaram em odienta cena de sangue... Agora a lei soberana, que jungia o criminoso não punido à justiça desrespeitada, manifestava-se sobranceira.

O *parasito espiritual* se imanara ao sofredor e reproduzia nele os esgares epilépticos em que se consumia, vítima de si mesmo, escravo do ódio. Na volúpia da vingança, atirava-o de encontro ao solo, ateava-lhe fogo às vestes, tentava afogá-lo, subjugava-o.

As esperanças da família se apagavam na lâmpada sem lume das tentativas de cura, impossível até aquele momento.

Seu pai ouvira falar do Rabi e o trouxera, na expectativa duvidosa de ver o filho recuperado, perdido como se encontrava no caminho do aniquilamento inexorável.

Transcorreram oito dias[25] após a "confissão de Pedro", o Mestre tomou consigo Pedro, Tiago e João, e levou-os sozinhos, e à parte, para um alto monte.

Agosto, em plenitude, derrama sua taça de luz e calor sobre a terra. As papoulas e as margaridas jazem crestadas em hastes vencidas pela canícula. O céu muito azul e transparente concede visão infinita em todas as direções.

À medida que o Tabor[26] vai sendo vencido, os painéis se desenrolam: embaixo, os campos de trigo ceifado, a mancha pardacento-prateada do Jordão, na configuração de imenso alaúde entre sebes; para as bandas do oriente erguem-se altaneiros os Montes Galaad e ao poente cintilam as águas do Mediterrâneo, como imenso espelho refletido através da garganta natural entre o Monte Carmelo e os contrafortes altanados do Líbano; ao norte, o Genesaré salpicado de velas coloridas e orlado por Tiberíades, Magdala, Cafarnaum, Betsaida, as cidades tão encantadoramente derramadas dos pequenos cerros na direção das praias, vestidas de palmeiras verdejantes...

Do acúmen a visão não se detém. De forma arredondada, a plataforma batida pelos ventos, às vezes coroada de zimbros, é a culminância dos 562 metros de altitude rochosa, sem vegetação, com destaque na imensa e formosa Galileia.

A noite ainda demora algumas horas para estender o seu manto imenso sob o céu. Os meses de agosto são de longos dias. O calor asfixia e requeima a rala vegetação.

---

25. Os oito dias normais são tidos como "seis dias plenos, segundo os hábitos judaicos".

26. Discutem historiadores e exegetas quanto ao local da transfiguração do Mestre, se ocorrida no Tabor ou no Hermom. Preferimos a tradição que a situa no primeiro monte (notas da autora espiritual).

A jornada é longa na conquista do monte: mais de quatro horas de marcha lenta e cansativa, embora a beleza da paisagem deslumbrante em derredor.

Atingido o acume, o Mestre se põe em oração. Os discípulos, suarentos e cansados, adormecem à sombra dos arbustos escassos.

Um grande silêncio envolve tudo e todos. O mormaço quase asfixia...

A noite vence a natureza, e o Mestre ora.

A madrugada alcança o Rabi em oração. Os companheiros dormem. Vozes percutem na monotonia. Os discípulos despertam, assustados e são dominados pela visão sublime da transfiguração do Mestre, com as vestes incendidas, dialogando com Moisés e Elias. As palavras vibram no ar; mas não são palavras como as que se ouvem comumente...

Logo após, diluída a visão, Simão se acerca do Rabi e exclama:

– *Mestre, bom é que estejamos aqui, e façamos três cabanas: uma para ti, outra para Moisés e outra para Elias.*

O Mestre fita-o compadecido.

Uma nuvem surge misteriosa, e uma voz, então, exclama:

– *Este é o meu filho amado; a Ele ouvi!*

Os discípulos, ainda não refeitos, são tomados de pavor.

A grandiosa revelação fora feita.

Jesus estivera em toda a sua glória, e eles foram testemunhas silenciosas e emocionadas do acontecimento incomparável.

Os Céus foram cindidos, e os discípulos tiveram o "Conhecimento do Divino".

Pedro se reportará mais tarde a essa *metamorfose* do Mestre, testemunho insofismável em que fundamenta sua fé.

O Rabi, no entanto, exige-lhes silêncio.

A verdade tem que ser dosada para o entendimento da argila humana.

Mais tarde, João, ao escrever os *Ditos do Senhor*, iniciará a sua narrativa evocando, certamente, a cena inesquecível: "N'Ele estava a vida, e a vida era a luz dos homens; a luz resplandeceu nas trevas, e as trevas não a compreenderam".

– *Desçamos!* – alvitra o Mestre.

– *Não poderíamos aqui demorar-nos?* – indaga Simão.

– *É necessário descer* – retruca Jesus. – *Busquemos os que não dispõem de forças para subir. Os homens necessitam de nós. A nossa é a glória deles. Para eles sejam nossas alegrias e para nós as suas dores. Depois da comunhão com os Céus, a convivência entre os que se demoram na Terra. O paraíso seria para nós estranho presídio sem aqueles que, no ergástulo das aflições, anseiam pelo país da liberdade. Desçamos. Os homens, para quem eu venho, nos esperam.*

Na descida do monte, confabulam:

– *Rabi!* – indagam como receosos. – *Dizem os escribas que é mister que venha primeiro Elias...*

– *Elias já veio, e não o conheceram, mas lhe fizeram tudo quanto quiseram. Assim farão, também, padecer o Filho do Homem...*

"Então entenderam os discípulos que lhes falara de João Batista."

A nova revelação de ser Elias João Batista renascido surpreende os companheiros que começam a compreender os inescrutáveis desígnios do Pai.

Os Espíritos estão estuantes de felicidade. Há festa em seus corações.

Jesus e os discípulos continuam descendo.

O dia esplende. Os acontecimentos são sóis em suas almas.

A plataforma do Tabor fica para trás.

A planície imensa se estende embaixo.

Lá estão as criaturas sofredoras e ansiosas, os companheiros aguardando.

Amedrontados, os discípulos se revezam.

– *Afasta-te, Satanás!* – exclama Judas, irado, enquanto o obsesso ulula.

– *Filho das trevas, semente de Belzebu* – brada Tadeu, com a voz rouca e os olhos injetados –, *por quem és, abandona tua vítima!*

– *Decaído, imundo* – vocifera, pálido e suarento, Natanael –, *eu te exorto a que retornes às geenas!...*

Curiosos se acercam dos gritadores, enquanto o endemoninhado, como se multiplicasse as forças que o vampirismo espiritual consome, mais se debate no solo e corcoveia, exasperado, a ameaçar o débil corpo em convulsão, semivencido.

É o próprio *Dibbuk* – soluça, desanimado, Filipe.

– *Nada conseguiremos!* – arremata o filho de Cléofas.

– *Onde andará o Mestre* – indaga, perturbado, Simão, o Zelote –, *que não vem socorrer-nos? Não saberá Ele de nossa aflição?...*

Entreolham-se, estremecem, enquanto o obsidiado espumeja e se debate.

Falam todos de uma vez. Gritam inutilmente.

Vendo o Mestre e os companheiros, que chegam à charneca das misérias humanas, correm aflitos e O saúdam.

– *Que é que discutis com eles?* – interroga, sereno, o Senhor.

– *Mestre, trouxe-te o meu filho, que tem um Espírito mudo. E este, onde quer que o apanhe, despedaça-o, e ele espuma e range os dentes, e vai-se secando; eu disse aos teus discípulos que o expulsassem, e não puderam!*

– *Se podes* – apela o pai –, *salva o meu filho.*

– *Se tu podes crer, tudo é possível ao que crê.*

–*Eu creio, Senhor! Ajuda a minha incredulidade.*

O Rabi se comove. O semblante sereno expressa toda a angústia do seu Espírito.

Sem qualquer mágoa, fita os companheiros medrosos e os admoesta com veemência e compaixão. Compreende as fraquezas dos convidados a esparzir a semente da Boa-nova.

Como a justificar-se a si mesmo e aos outros, Judas tenta esclarecer:

– *Fizemos tudo quanto nos ensinaste e nada conseguimos...*

– *Até quando vos sofrerei e estarei convosco?*

A indagação fica no ar, sem resposta.

A arrogância da fraqueza é mais petulante do que a vaidade da força.

O sinal do fracasso no orgulho é como chaga de fogo a requeimar.

– *Espírito mudo e surdo...*

Pálido e fraco, o moço sorriu. Havia gratidão sem palavras. Osculou a mão do Rabi e, conduzido pelo pai em êxtase de alegria, seguiram ambos no rumo do lar.

À noite, quando o zimbório se vestia de estrelas brilhantes, ainda sob o impacto das manifestações do Mestre, no Tabor e na planície, Simão, traduzindo possivelmente a visível inquietação dos companheiros, aproximou-se d'Ele, que meditava, e indagou, visivelmente emocionado:

– *Por que não puderam eles expulsar o Espírito imundo?*

– *Esta casta não pode sair com coisa alguma, a não ser com oração e jejum* – elucidou o Amigo.

Desejando, no entanto, utilizar o momento para melhor instruir os companheiros desatentos e pretensiosos, o Senhor esclareceu:

– *Antes de tudo é necessário compreendamos que os* espíritos imundos *viveram antes, homens que foram, homens que continuam sendo. Enganados, como se deixaram conduzir no corpo, prosseguem enlouquecidos, fora dele. A morte não os transformou. Viajores do tempo, são o que fizeram. Ligados mentalmente às reminiscências das ações, demoram-se, sofrendo-as, imanados aos que amaram, vinculados àqueles que os fizeram sofrer...*

Fez uma pausa, espontânea. E prosseguiu:

– *Por essa razão a Boa-nova é um hino de amor e perdão. Amor indistinto e perdão indiscriminado.*

Diante deles, nossos irmãos na sombra da ignorância, nenhuma força possui força senão a força do amor. Não apenas os expulsar daquele convívio a que se agregam parasitariamente, mas também os socorrer, enlaçando-os com amor...

Novamente silenciou, e envolveu os amigos num olhar de bondade, para logo continuar:

– *São nossos irmãos da retaguarda, perdidos na ilusão das carnes a que teimosamente pretendem continuar ligados. Não se prepararam para a verdade. É em razão disso que a Mensagem de Vida não se reveste das indumentárias fantasiosas tão do agrado geral. É semente de luz para fecundação no solo do espírito.*

Diante, pois, deles – possessos e possessores – só a oração do amor infatigável e o jejum das paixões conseguem mitigar a sede em que se entredevoram, entregando-os aos trabalhadores da Obra de Nosso Pai, que, em toda parte, estão cooperando com o Amor, incessantemente.

Se amardes ao invés de detestardes, se desejardes socorrer e não apenas os expulsardes, tudo fareis, pois que tudo quanto eu faço podeis fazê-lo, e muito mais, se o quiserdes...

No leve ar da noite bailavam suaves brisas espraiando para o futuro a palavra do Rabi, como antevisão gloriosa para os dias porvindouros da Humanidade.

12

O OBSIDIADO GERASENO

O mar era grande espelho levemente ondulado, a refletir a poeira de luz do Sol nascente, dardejando ouro.[27]

O mês de *kislev*,[28] portador das tempestades, é também o mensageiro da fartura, carreador dos ventos perfumados e leves.

Correm suaves ruídos pelos arredores, e a penedia triste de Gergesa ou Gerasa fica para trás.

As encostas negras e viciosas, surradas pelas virações marinhas, apresentam-se lúgubres, sem vegetação alguma. Dir-se-ia um solo ingrato onde nada medra, à exceção de espinheiros e cardos silvestres.

No alto, um magote de homens, mulheres e crianças alonga os olhos sobre a face líquida do mar, preciosa

27. Mateus, 8: 28 a 34; Marcos, 5: 1 a 11; Lucas, 8: 26 a 39.
28. Dezembro-janeiro (notas da autora espiritual).

concessão do Jordão ao longo do seu abençoado curso, interroga sem palavras.

O barco desliza suavemente, quase em silêncio, com a grande vela enfunada, à semelhança de uma asa móvel sombreando as águas.

Na popa, a figura de Jesus assemelha-se a uma exclamação de dor. Fitando a terra agreste e nua, sente o sofrimento da gente que ali habita.

Programara, desde antes, aquela visita às terras sobre as montanhas de Bazan, na Decápole, acalentando a possibilidade de até ali levar a mensagem da Boa-nova.

Proclamar e difundir as primícias do Reino constituía Sua ventura, pois que para isso viera. Viver com o povo, sofrer as aflições do povo, mas, sobretudo, esclarecer e libertar o espírito do povo das grilhetas vigorosas da ignorância e da superstição.

O povo era o seu rebanho. Para esse rebanho viera dar a vida. Era, todavia, necessário que as ovelhas conhecessem o pastor a fim de poder identificar-Lhe a voz, obedecer-Lhe ao chamado. Experimentava, porém, ultor sofrimento, porque o povo não O compreendia: o sofrimento que decorre do amor desdenhado.

Gerasa não O recebera, embora o tom festivo com que anunciara a chegada e a oferenda preciosa que doara ao acercar-se dos seus limites.

Não quebrara os liames que atavam o obsidiado à obsessão, como um raio alvinitente penetra o corpo da noite e anuncia a força da sua presença?

Os gerasenos comerciavam com porcos e preferiam os suínos a Ele, o Amigo que desejavam ignorar...

Vento sinfônico encrespa as águas, melodias vibram na tristeza que envolve o barco e açoita os cabelos bastos dos homens estremunhados e silenciosos.

Gerasa os sulcara com uma grande dor...

Alguém perguntou, na pequena planura do penhasco, fitando o barco a mergulhar na distância:

– *Quem era?*

– *Não sabemos* – respondeu outro.

– *Por que nos queria falar? Trazia-nos algo?*

– *Não indagamos, nem mesmo o deixamos falar.*

– *Que desejaria conosco?*

– *Não podemos atinar. Talvez tenha sido melhor expulsá-lo de nossos sítios, como fizemos.*

– *Talvez!...*

E como se voltassem a contemplar a embarcação, que poderia ser considerada como um ponto final numa lição em meio, uma mulher sugeriu:

– *Parecia-se com um Rabi, desses que andam pela Galileia...*

– *Que nos pode oferecer de bom a Galileia?* – revidou, rabioso, um representante da cidade. – *O que podemos afirmar são os prejuízos que Ele nos deu.*

– *E onde se encontra o endemoninhado?* – inquiriu outrem.

– *Busquemo-lo!* – exclamou, encolerizado, um jovem. – *Façamo-lo confessar. Afinal, ele é portador de Espíritos imundos e com ele podemos ser rigorosos.*

– *Tenhamos cuidado* – advertiu um comerciante de porcos. – *Os danos do dia são vultosos; perdemos nossas melhores varas e isto vai afetar a economia de nossa cidade. O doente parece recuperado. Deixemo-lo...*

O barco era um quase nada no mar.

O dia *bordava* a terra de luz e a natureza estuava prenhe de festa. Mil vozes onomatopaicas entoavam um canto de alegria.

Dos penhascos de Gerasa avistava-se o outro lado do mar.

Os gerasenos voltaram à cidade, a dois quilômetros dali, onde se erguia o casario de arquitetura grega, cercado de ricas pastagens a se perderem na borda do deserto.

Jesus e os discípulos retornaram a Cafarnaum.

❧

Tudo fora muito simples, recordava.

A alva ainda não descerrara os mantos pesados do seu rosto de luz, quando ele ouvira rumor de passos, no pavor em que vivia.

Erguera-se de um túmulo vazio, dos muitos existentes nas cavernas esburacadas da rocha, entre os outeiros usados como criptas sepulcrais.

Subitamente sentira a força das *Fúrias*, que o dominavam em hedionda e nefasta subjugação.

Podia formular uma ideia do que fizera, pelas equimoses e hematomas pelo corpo dorido e os membros lassos, o gosto de sangue na boca e o imenso cansaço que o possuía...

Quanto havia descido! – meditava. Os jogos do prazer nos antros de perdição levaram-no àquele estado. Atormentado por forças subjugadoras, abandonara o lar e os parentes, colocara nos lábios dos pais a taça de fel de amarguras inomináveis, a ponto de fazê-los sucumbir de vergonha e horror nos dédalos dos sofrimentos.

Começara a cair muito cedo até chafurdar entre os porcos e buscar as sombras das sepulturas, onde se refugiavam os endemoninhados, carregando nos pulsos e nos tornozelos pedaços de cordas imundas e um elo de ferro, como os que atavam os animais ferozes...

Recordando, agora, as torpezas e sofrimentos, não podia evitar as lágrimas que vertia em abundância.

Vagara pelos bosques próximos, disputando com os animais restos alimentícios; ou, desvairado, passara dias intermináveis em indescritíveis pelejas, na luta contra *animais selvagens* que o aniquilavam...

Concatenando os pensamentos, lembrava-se somente da aragem fresca que o envolvera, e daqueles dois olhos tranquilos e bons que o banharam de amena harmonia.

– *Senhor!...* – balbuciara, nervoso, enfraquecido, empapado de suor. – *Que queres que eu faça?*

– *Torna para tua casa, e conta quão grandes coisas te fez Deus.*

– *Não tenho ninguém* – retrucara. – *Os meus me odeiam pelo muito que os fiz sofrer. Deixa-me seguir contigo, que te apiedaste de mim.*

– *Não. Por enquanto, não! Vai primeiro anunciar o que recebeste, para que todos saibam o que pode fazer o Filho do Homem.*

Erguera-se de um salto e saíra a correr, seguido de perto pelos proprietários dos porcos que haviam despenhado no abismo. Ignorava, porém, como as *coisas* haviam-se passado.

Estava livre. Isto sim: em liberdade! Gritava, explodia de felicidade. E sorria.

Os outros o fitavam a medo e o escutavam sem nele crer, embora a sanidade de que dava mostras.

Legião, assim era chamado, tendo-se em vista os Espíritos imundos que o dominavam, era temido e detestado.

Foram, porém, inúteis as suas explicações, o atestado eloquente do seu juízo em equilíbrio. E quando Ele se acercou da porta da cidade, receberam-no sem consideração, nem respeito, expulsando-o em seguida.

Nos dias que se seguiram, ele anunciou, por onde esteve, a promessa do Filho do Homem.

Os gerasenos, porém, revoltados por não terem fruído a presença e as dádivas d'Ele, agasalharam no imo, contra o ex-endemoninhado, surdo despeito, que não tardou a explodir em cólera generalizada.

– *Desde que Ele te curou* – foram peremptórios – *e vale tanto para ti, mais do que nós, vai-te para o seu lado, deixa-nos a nós e as nossas terras.*

O ódio popular é como furacão sem rota, que traga na sua voragem o que encontra.

– *Vai-te!* – gritaram as vozes. – *Esquece-te de nós.*

Uma pedra cortou o ar, bagas de sangue quente tingiram o chão e o pó fez-se lama na terra.

Os olhos do recém-curado se injetaram, a boca retorceu-se em estranho ríctus, e ele exclamou:

– *Maldita sejas, Gerasa, que expulsas os filhos e desprezas os Enviados!*

Aquela voz trovejou poderosa, e a cidade presente à cena de vergonha e dor não mais esqueceria as visões daqueles dias, as expressões dos dois homens aos quais fechava suas portas.

Depois de caminhar pelas terras da Decápole, narrando o que lhe fizera o Galileu, ele demandou às praias do outro lado do mar e perdeu-se na multidão que acompanhava as pregações no lago e nas cidades, nos montes e na orla das estradas, oferecendo suas mãos e seus braços aos aflitos e combalidos que necessitassem de ajuda.

Não mais se afastaria dos sofredores, seus irmãos de infortúnio.

Procurava dar-lhes a fortuna da esperança como ele mesmo a recebera do Rabi.

Seguia-O, deslumbrado e reconhecido pelo que recebera e passou a amar como fora amado, trabalhando, também, pela extensão do Reino de Deus que Ele anunciava.

13

SÊ LIMPO

A felicidade explodia em sua alma, como se uma cascata acabasse de irromper no canto de uma estrondosa sinfonia.[29]

Acontecera repentinamente.

Vira-O ao longe descendo a montanha e a multidão com Ele.

Parecia nimbado de estranha luz.

Pairava à sua volta um halo de serena tranquilidade.

Algo se passara nele.

Inusitada coragem impelira-o à frente.

Até ali fora um animal desvairado, caçado e foragido.

Proibido de entrar nas cidades, vagava pelos campos, quase sempre misturado à farândola dos desgraçados do seu jaez.

29. Mateus, 8: 1 a 4; Marcos, 1: 40 a 45; Lucas, 5: 12 a 16 (nota da autora espiritual).

Quando afloraram as primeiras manchas roxas na pele tostada e as pústulas nauseabundas e doridas começaram a apodrecer o corpo, também principiara a morrer...

Todos o escorraçaram.

Os vínculos da família se arrebentaram e os sonhos da juventude converteram-se em trevas hediondas.

Acossado, fora expulso.

Nome, procedência ficaram para trás.

Agora, era somente um *imundo*!

As dores acerbas lhe mataram a fé como trucidaram todas as esperanças.

Apátrida no berço de nascimento.

Foragido sem crime.

Confundido aos animais, cobria-se com o manto das noites estreladas e os trapos infectos, e ante o açoite dos ventos e a queda das chuvas, disputava as furnas com as feras e os detritos com os cães...

Perdera a faculdade de chorar.

Insensibilizara-se.

Sentia apenas sua própria dor, profunda e cruel, vergastando-o sem cessar.

– Senhor, se Tu quiseres, bem podes limpar-me! Eu creio que és Aquele que todos esperamos. Dize: quero!...

As lágrimas aljofraram pela vez primeira nos olhos, depois de muitos anos. A voz se estrangulou na garganta intumescida.

– Quero: sê limpo!

Um estertor nervoso sacudira-lhe todas as fibras. Um imenso descontrole tomou-lhe o organismo alquebrado.

Desejou gritar; não pôde fazê-lo.

Experimentava a sensação de uma transformação geral e violenta.

Estupefato, sem o domínio da razão, àquela hora, acompanhava, atônito, a renovação dos tecidos febris e apodrecidos que se operava celeremente.

O corpo era, novamente, um diamante na ganga dos trapos miseráveis.

Arrojou-se ao solo, "sobre o rosto" e gritou, tartamudeando:

– *Que queres... que eu... faça?...*

Oh! Infinita alegria!

Todo o seu ser fremia de júbilos.

– *Não o digas a ninguém. Vai, mostra-te ao sacerdote, e oferece, pela tua purificação o que Moisés determinou, para que lhes sirva de testemunho.*

O Estranho Rabi tornara-se diáfano. Uma beleza incomparável d'Ele se irradiava. Parecia sorrir.

A turba acercou-se, muda de espanto, e constatou--lhe a cura.

Estuante, emoções em desalinho, saiu a correr.

Mente em torvelinho, coração descompassado, voltava à cidade...

Antes, a pedradas fora expulso. Agora, cantando felicidade, retornava.

Pelo caminho, no entanto, sem poder guardar silêncio, contava o prodígio de que fora objeto.

A noite caíra sem preâmbulos.

À luz das estrelas longínquas, o Mestre reuniu os discípulos, em agradável aconchego.

Chegada a hora do repasto e preparada a fogueira aquecedora, foram distribuídos pão e peixe defumado. Acercando-se do Rabi, Simão indagou curioso:

– *Seria necessário que o leproso pagasse o tributo?*

– *À lei, os respeitos de justiça* – respondeu Jesus.

E, desejando esclarecer os companheiros não refeitos da grande emoção, prosseguiu:

– *Legalmente, ele estava morto. Trazido à vida, por mercê de Nosso Pai, deverá ser reconhecido por aqueles que representam a tradição. O tributo, não o entendamos como pagamento ou louvor, puro e simples, mas como expressão de testemunho de reingresso nos estatutos dos homens.*

Espicaçado pela curiosidade, André indagou:

– *Será justa a recomendação de silêncio? Não se faz necessário que todos identifiquem os sinais da Mensagem de Vida para que se disponham ao Reino de Deus, que está próximo?*

O Mestre espraiou os olhos em derredor, como a delimitar os sítios onde se encontrava, e redarguiu:

– *Não transcorreu muito tempo, eu vos falei que sois o sal da Terra... Para que serve o sal se perde o sabor? Diluindo-se no repasto, o sal se faz presente sem alarde e todos o podem identificar...*

E depois de uma breve pausa, como se desejasse caracterizar melhor os dias próximos, esclareceu:

– *O Reino dos Céus não se fará notado pelas atrações externas. A Terra sempre foi rica de homens e mulheres prodigiosos, profetas e rabis, curadores e adivinhos. Acima deles todos, no entanto, o Filho do Homem há velado.*

E, esclarecendo melhor os discípulos incipientes, prosseguiu:

– O leproso de hoje se contaminou espiritualmente em pretérito próximo. Ontem, soberbo e egoísta, banhou-se nas lágrimas dos oprimidos, abusando do corpo como os ventos bravios das tamareiras solitárias. Retornou aos caminhos de tormento em si mesmo atormentado, para ressarcir penosamente. O legado que hoje recebeu é de responsabilidade antes que de merecimento. O Pai Misericordioso não deseja a punição do filho rebelde ou ingrato, mas a sua renovação...

Como se consultasse o leve cicio da noite, arrematou com um acento de tristeza na voz:

– Nem todos, porém, podem isto compreender.

Neste momento, apalpando as carnes refeitas, exibe o corpo aos curiosos e fala sobre Aquele a Quem desconhece com alegria e leviandade. A cura mais importante não a experimentou: é aquela que não se restringe à forma, e sim ao Espírito. Lavada a morfeia, ele continua leproso. Acautelai-vos do contágio das misérias que os olhos não veem, mas que entenebrecem a razão e perturbam o coração...

Simão, desejando mais esclarecimentos, inquiriu com respeito:

– Rabi, se o doente não se pôde beneficiar com a cura, ter-lhe-ia sido esta de utilidade?

– Simão – respondeu, bondoso, Jesus –, *o Reino dos Céus é uma mensagem de amor para todos: desalentados e sofredores, atormentados e enfermos, todos receberão o convite de acordo com as suas necessidades. A nós compete espalhar as dádivas de luz e bênçãos, sem a preocupação imediata de como serão recebidas ou utilizadas. Cada coração é responsável pelas sementes que recolhe. Fruindo a dádiva de luz, pode escolher onde entesourar as esperanças. O Sol espraia vida em*

todo lugar, indistintamente e, embora o pântano continue pútrido, o Astro-rei insiste sobre o seu dorso, semeando a esperança onde a peste e a morte se agasalham...

Levantou-se e, afastando-se do grupo, em silêncio, mergulhou na noite e desapareceu.

A montanha continuava envolta em sombras, ao fundo.

Enquanto as *gemas* dos minutos formavam o *colar* dos séculos, os acontecimentos daquele dia passavam para os dias do amanhã sem fim...

14

A MULHER HEMORROÍSSA

O coração arrítmico constringia-lhe o peito, e o ar que aspirava, pesado, parecia carregado de fumo.[30]

Angústia incoercível dominava-lhe o Espírito desde as vésperas.

A noite fora difícil de ser vencida. Expectativa incomparável a assaltara desde que soubera dos lamentáveis acontecimentos no horto...

À traição de Judas sucederam-se a deserção dos amigos, a negação de Pedro, e Ele, a sós, fora instrumento do escárnio e da arrogância de todos, levado à extrema humilhação por aqueles que, desde há muito, ambicionavam pôr-Lhe as mãos.

30. Mateus, 9: 20 a 22; Marcos, 5: 25 a 34; Lucas, 8: 43 a 48 (nota da autora espiritual).

As notícias, em tom de cantilena cansativa, corriam zombeteiras por todos os lábios, até mesmo repetidas por bocas antes mortas e que podiam agora falar graças a Ele.

O dia começara com um Sol em brasa, queimando tudo.

O vento quente, àquela hora da tarde, crestava.

A sinistra caravana que O empurrava na direção do Gólgota ainda não atravessara a porta de saída da cidade, aumentada cada vez mais por novos espectadores impenitentes que O saudaram poucos dias antes, quando Ele chegara a Jerusalém.

Ela os ouve gritar: – *Adiante! O chicote!*

Sente o dilacerar do próprio coração.

A ladeira é de difícil acesso, e os motejos se sucedem, enquanto o chicote vibrando rasga-lhe as carnes ensanguentadas...

Ajudado pelo Cirineu, banhado de suor e sangue, Ele avança vagarosamente, com dificuldade.

Ela O amava, sim! Amava-O com todas as forças do seu coração, da sua vida. Vivia porque d'Ele recebera a vida.

Olhou em volta, lacrimejante. Ali estavam, entre outros, Maria, Sua mãe; Madalena, com as mãos crispadas, a chorar desesperadamente; Joana de Cusa, Maria de Cléofas, Salomé, Marta, João, todos dominados por dor inominável. Talvez, mais longe, estivessem outros: Nicodemos, Zaqueu, José de Arimateia, Lázaro, os cegos e paralíticos que recuperaram a saúde, estupefatos, vencidos...

Os gritos e imprecações redobram...

Abandonara sua cidade de nascimento, pela primeira vez, Cesareia de Felipe, na Decápole, desiludida, marcada pelo estigma humilhante.

Todos a consideravam impura e, consequentemente, malsinada.

Recorrera a todos os métodos curadouros. Consultara os sacerdotes, os médicos locais e os alienígenas, inutilmente. A enfermidade impiedosa resistia a todos os remédios.

Deixara-se exorcizar, usara os preceitos da Lei, submetera-se a experiências que a maltrataram interminavelmente, no entanto, tudo fora inútil. Seu *mal* era um castigo, um sinal de desventura imposto por Deus.

Sem mais esperanças, após ter gasto tudo quanto possuía, resolvera buscar a próspera Cafarnaum na vã tentativa de conseguir um remédio não usado ou conhecer um médico ainda não consultado.

O *fluxo sanguíneo*, porém, não a deixava.

Via-se constrangida a esconder-se, ocultando a marca da sua desdita.

Tinha, agora, pela primeira vez, a oportunidade de falar com Ele.

Seu nome, Seus prodígios, conhecia-os através dos que, de Suas mãos, haviam recebido a saúde como doação máxima.

E Ele ali estava, a alguns passos.

Demandava a casa de Jairo, o chefe da Sinagoga, cuja filha se encontrava nas malhas da agonia e toda a cidade lamentava aquela perda irreparável.

Amado pela sua bondade e compreensão dos problemas humanos, Jairo buscara o Rabi desde cedo, procurando-O em todo lugar. Recorrera à casa de Simão, procurara na residência dos filhos de Zebedeu e, por fim, fora buscá-lO na praia, após a viagem que fizera ao outro lado do mar. Com Jairo uma grande e curiosa multidão O seguiu.

Também ela estava entre os que O seguiam, a dois passos, tomada por ansiedade incomparável. Faltava-lhe coragem para falar-Lhe, tantos eram os ouvidos atentos. Conheciam-na, e as marcas da sua miséria orgânica denunciavam-lhe o *mal* que a fizera pusilânime em excesso. Vencida pela anemia, descarnada, até mesmo diante dos médicos sentia o constrangimento que lhe impunha a *doença*.

Àquela hora, no entanto, se a perdesse, perderia o precioso minuto, o mais importante da vida.

Em turbilhão mental aproximou-se emocionada, a medo.

Cria n'Ele. Sentia-O invadir-lhe o íntimo, como se todo Ele se desprendesse uma força ignota, miraculosa. Nos Seus olhos, no Seu porte, em todo Ele havia uma tão grande serenidade e grandeza!...

A rua estreita, a multidão se adensando cada vez mais, o turbilhão íntimo, faziam-na gritar sem voz, pedir--Lhe socorro sem palavras.

Vencendo a agonia que a assaltava, com a visão turbada, num movimento irresistível, puxou-Lhe a fímbria dos vestidos, e... Oh! Ventura! O sangue estancara; as hemorroidas deixaram de doer; toda ela experimentou uma estranha, inusitada sensação.

Ainda não recuperara o equilíbrio, ouviu-O indagar:

– *Quem tocou nos meus vestidos?*

E disseram-Lhe os Seus discípulos: – *Vês que a multidão te aperta, e dizes: quem me tocou?*

Ele olhou em derredor como a procurá-la.

Nesse momento, atirou-se-Lhe aos pés e bradou:

– *Fui eu, Senhor, que era desgraçada! Sabia que, em tocando Tuas vestes, poderia recuperar minha saúde.*

– *Filha* – falara-Lhe com ternura e bondade –, *a tua fé te salvou; vai em paz, e sê curada desse teu mal.*

As inefáveis emoções daquele instante! Ficaria ali, imóvel, vencida pela gratidão, em lágrimas de júbilo, adorando-O, se o pudesse.

Despertaram-na para a realidade os que lhe sindicavam o acontecido.

Depois, transcorridos alguns dias, volveu aos seus e aos sítios donde viera do outro lado do mar.

Todos queriam vê-la, ouvir-lhe a narrativa, constatar.

Com a saúde viera-lhe igualmente uma ânsia insopitável de vida nova. Recuperara a paz do corpo, mas perdera a paz do espírito.

Depois de conhecê-lO, encontrara a vida. Estar longe d'Ele significava perder a vida. Sabia-o, pois que *algo* lhe dizia ser Ele o Enviado. Necessitava abandonar tudo e segui-lO...

Depois de relutar algum tempo, despediu-se dos amigos e parentes – que antes a detestavam – e foi ao Seu encontro.

Desde então ouvia Suas pregações na orla do mar, nas cidadezinhas próximas, perdida na multidão.

Lentamente enchia o Espírito de paz, como Sol de luz que inunda a terra, quando chega o *carro* da madrugada.

Seguindo-O por toda parte, não ignorava os que O detestavam e, no coração, temia por Ele...

As maldições despertaram-na.

A realidade surgia dolorosa no clamor ostensivo do ódio e da intemperança generalizados.

Aquela subida cruel pela colina de Acra alquebrava-O sob o peso da cruz.

Subitamente Ele escorregou e caiu. Não se conteve: tomou de uma toalha que trazia, alvinitente e lisa, e correu-Lhe ao encontro.[31]

Não tiveram tempo de fazê-la retroceder.

Aquele semblante ensanguentado e dorido amargurava-a. Envolveu a face no linho branco e enxugou-a carinhosamente.

Houve uma exclamação de estupor quando retirou a toalha: nela se estampava o rosto d'Ele, tingido pelo sangue.

Gritou, então:

– *Vede! Vós que passais, atendei-me!*

O pranto lhe embarga a voz.

– *O chicote!* – bradam os judeus. – *O chicote! Laceremo-lO! Não tenhamos piedade!*

---

31. Embora os *Atos de Pilatos*, um dos Evangelhos apócrifos, informem que essa mulher, chamada Verônica ou Berenice, é a mesma hemorroíssa, Eusébio de Cesareia, o historiador, esclarece que, logo depois de curada, a portadora do fluxo sanguíneo retornou às suas terras e mandou fundir, em bronze, o feito do Mestre em relação a ela e o colocou à porta de entrada de sua casa. Ele mesmo tivera ocasião de vê-lo. Preferimos, no entanto, a informação contida em *Atos de Pilatos* (nota da autora espiritual).

Ele, no entanto, olha-a demoradamente naquele átimo de minuto. Os lábios entreabertos nada dizem. Ela ouve, porém, no imo Sua voz, como antes:

– *Vai em paz! Lembrar-me-ei de ti...*

A caravana atravessa a Porta Judiciária, desce a encosta e começa a subida da colina da Caveira.

Ele tomba, novamente.

O clamor da angústia das mulheres se levanta e grita alto.

Macerado e trêmulo, Ele magnetiza a multidão com o olhar dorido, e diz:

– *Filhas de Jerusalém, não choreis por mim; chorai antes por vós mesmas, e por vossos filhos. Dias virão amargos e terríveis, em que clamareis: Bem-aventuradas as estéreis, e os ventres que não geraram, e os peitos que não amamentaram! Clamareis aos montes: Caí sobre nós, cobri-nos! Porque, se ao madeiro verde fazem isto, que se fará ao seco?*[32]

Chegando ao topo da colina, começaram a despi-lo...

Logo depois estava morto.

Aos pés da cruz, rememorando-Lhe os feitos, recordou, então, as Suas palavras:

– *E eu, quando for levantado da terra, todos atrairei a mim.*[33]

Ele estava erguido.

A Humanidade segui-lO-ia depois.

Desceu o monte e saiu a servi-lO, acompanhando os que O amavam.

32. Lucas, 23: 27 a 31.

33. João, 12: 32 (notas da autora espiritual).

15

ZAQUEU, O RICO DE HUMILDADE

Segregados, os publicanos[34] ou arrecadadores de impostos constituíam classe detestável, vivendo sob chuvas de ódios e sarcasmos.[35]

O pão, adquirido com o suor da aflição, carreava a angústia daqueles que estavam constrangidos ao resgate

---

34. Os publicanos, em Israel, adquiriam por cinco anos, em hasta pública, o direito de arrecadarem os impostos das mãos dos dominadores romanos, excedendo-se, muitas vezes, pela exorbitância das taxas alfandegárias cobradas sobre o solo. Eram divididos em três ramos distintos: Decumani (arrecadavam os dízimos); Partitores (encarregavam-se das alfândegas); e Pecuarii (recebiam as taxas sobre o solo e pastagens). Eram dirigidos pelo adquirente dos direitos da cobrança a quem prestavam obediência e a quem se uniam, por serem desconsiderados pelos compatriotas. Tidos como ignóbeis por se ligarem ao estrangeiro dominador e por infringirem Moisés e a Lei, eram, por outro lado, detestados pelos invasores que os subestimavam e os humilhavam com reproches.

35. Lucas, 19: 1 a 10 (notas da autora espiritual).

das pesadas taxas, impostas pelas hostes vitoriosas que dominavam Israel.

Jericó era um centro de atividades comerciais e urbe famosa, que hospedara Cleópatra, no passado, a qual se encantara com seu leve e perfumado ar.

Embelezada por Herodes e Arquelau, o seu casario suntuoso e suas vivendas palacianas de mármore destacavam-se pela austeridade e beleza de linhas.

Situada um pouco sobre o Vale do Jordão, beneficiava-se, nos dias tórridos, com as lufadas e a brisa fresca, e nos dias frios a temperatura mantinha-se agradável, sem quedas baixas.

Conhecida por seu centro comercial, era escolhida pelos negociantes, cambistas, peregrinos e caravanas que demandavam os diversos países do Oriente, recendendo, ao entardecer, o aroma das rosas abundantes, espalhadas em toda parte.

Campos e relvados eram sombreados por sicômoros, romãzeiras, amendoeiras e salpicados por flores de vermelho forte e amareladas, em tons de ouro. Suas rechãs cobertas de trigos e canas-de-açúcar rivalizavam em esplendor com as plataformas coloridas pela balsamina abundante que lhe oferecia um ar de beleza risonha e primaveril. As tamareiras, as mais célebres de Israel, produziam três espécies distintas, e suas tâmaras possuíam o dulcíssimo sabor de mel.

Sua alfândega regurgitava, e os *negócios* atingiam altas e expressivas somas.

Jericó, esplendente, e de economia pujante, era rota para Jerusalém...

Zaqueu adquirira, com a vitória em hasta pública, o direito à arrecadação dos impostos em Jericó e com eles a herança amaldiçoada que os acompanhava.

Residindo em suntuoso palacete, amealhara alto cabedal de moedas, adornando o reduto doméstico com obras de arte vindas de muitos países e se cercara de luxo, de modo a encher de bens externos o vazio do coração, por saber-se detestado por toda a cidade.

De índole afável, no entanto, justificava o *ofício* com a explicação de que não eram poucos os filhos de Israel que o disputavam diante dos emissários de César.

Quanto possível, procurava dissipar as nuvens carregadas de malquerença e animosidade que lhe sombreavam os dias.

Tentativas e tentativas, porém, redundavam inúteis.

Redobrava esforços, e o descoroçoamento era desanimador.

Escutava, algo irritado, as ameaças escapadas, entre dentes, daqueles que se viam obrigados a liberar-se do infamante dever de pagar o tributo a César através dele...

De estatura baixa, o que lhe somava mais aflição às angústias, e gordo, Zaqueu era o espécime vivo característico da idiossincrasia da cidade.

Muitas vezes, acarinhando os filhinhos, atormentado, considerava, o publicano, o futuro e alinhava planos... Quando possuísse muitos bens e pudesse abandonar a ignóbil tarefa, deixaria a cidade, recomeçaria vida nova, longe de Jericó, muito longe... O sorriso aflorava-lhe aos lábios e a esperança mal dominada emoldurava-lhe o coração, dava-lhe forças para resistir a todas as dores tormentosas do momento. O futuro pertencia-lhe. Bastava, somente, esperar...

Zaqueu ouvira falar de Jesus.

As notícias que lhe chegaram aos ouvidos mais pareciam uma mensagem de amor, cantando esperanças. Parecia-lhe irreal que alguém pudesse amar tanto. Também ele tinha sede de amor. Ansiava por afeição, amigos... Faziam-lhe falta as orquestrações sonoras da amizade, os largos sorrisos do entendimento e da compreensão.

A informação de que Ele comia com pecadores e até palestrava com os publicanos fê-lo chorar interiormente. E as lágrimas aljofraram mais fortes quando seus auxiliares, na alfândega, disseram, com segurança, que, entre os que O seguiam com ardor, um havia, publicano também, que Ele arrancara de uma Coletoria...

Admiração e afeto empolgaram Zaqueu por aquele Desconhecido!

Às vezes, meditando, anelava vê-lO, ouvi-lO, conversar com Ele. No imo acreditava que Ele fosse o Messias.

Sua palavra viajava no ar; Seus feitos eram de todos, em todo lugar conhecidos.

Amavam-nO os infelizes, os deserdados de esperança, os espezinhados, os *proletarii*. Odiavam-nO os que O temiam, porque n'Ele reconheciam o Salvador!

Bartimeu, o cego, vivia em Jericó desde quando Zaqueu podia recordar.

Com a escudela miserável, mendigava pelas ruas e nas estradas.

Na Alfândega, com frequência, Zaqueu o socorria. Gostava de atender a miséria, amenizar a dor, ele que sabia o travo da soledade. Esses, os sofredores, não lhe denegavam a moeda amiga, que os puritanos e zelosos da

Lei recusavam ofertar, guardando no semblante de falsa pureza a expressão constante de asco...

Bartimeu, cego e desprezado, tinha algo em comum com ele, Zaqueu: a soledade em que caminhavam ambos, no meio do povo.

Em pleno março do ano 30, em certo entardecer, Jericó tomara aspecto festivo. Desde há alguns dias, a cidade hospedava peregrinos que demandavam a Páscoa, que seria celebrada com toda a pompa, em Jerusalém.

No entanto, àquela tarde, o movimento era inusitado.

Falavam que o Rabi arrancara Bartimeu à cegueira e que o antigo infeliz se adentrara pela cidade, após vencida a Porta, entoando hosanas e exibindo os claros olhos banhados de indefinível luz.

Milagre! – exclamavam uns.

Farsa! – bradavam, coléricos, outros.

Todos queriam falar ao ex-cego, informar-se.

O tumulto se fazia natural na algaravia desordenada a que todos se entregavam, quando alguém gritou com voz estertorada: "Eis que o Rabi Galileu se aproxima e logo mais chegará à cidade!".

Houve uma explosão emocional na alma de Zaqueu. Mal se podia conter.

O Esperado chegava!

Este era o seu momento; o mais precioso momento da vida.

Necessitava fitá-lO.

Não ousaria falar-Lhe é certo, no entanto...

Se perdesse a ocasião, nunca mais, oh! certamente, teria outra!

Sôfrego, com o suor álgido a escorrer em bagas, pôs-se a correr – perdendo até a postura de dignidade que a si mesmo se impunha –, seguiu correndo na direção da porta da cidade.

A multidão se adensava pela via.

Era imperioso vê-lO, vê-lO apenas, vê-lO passar.

Agoniado, sob o domínio de mil inquietações, de relance – sabendo-se impossibilitado de vislumbrá-lO sequer, pois que, baixo, não podia olhá-lO, obstaculado pelos que se postavam à frente, à orla da estrada; e, detestado, não encontraria quem lhe cedesse lugar –, enxergou velho e vetusto sicômoro de fácil acesso, e desgalhado por sobre o caminho. As raízes alteavam-se, rugosas e curvas, acima do solo.

O publicano não titubeou; avançou, resoluto, e galgou a árvore.

Viu o Mestre, sereno, que avançava, acompanhado pelo povo.

Gritos e exclamações espocavam em ovação ao estranho Caminhante, que parecia envolto em diáfana claridade...

Zaqueu deixou que a voz estrangulada na garganta irrompesse cristalina e, sem o perceber, uniu-se ao entusiasmo geral, tocado de entusiasmo também.

Como era belo o Rabi! Jamais vira beleza igual àquela, cheia de majestade e transparência!

O Senhor estacou o passo junto ao sicômoro e fitou Zaqueu.

Foi rápido; no entanto, naquele momento, toda a vida do cobrador de impostos lhe perpassou fulminante pela tela do pensamento.

Reviu-se...

– *Zaqueu* – falou o Visitante Sublime –, *desce depressa, porque hoje me convém pousar em tua casa.*

Não podia ser verdade. Sonhava! Zumbido forte nos ouvidos e torpor na mente dominavam-no. "Desce depressa", gritava-lhe firme o Espírito.

O homem escorregou figueira abaixo, transfigurado pela emoção, a sós, esquecido de tudo, como se flutuasse no ar embalsamado do entardecer. Desejou sorrir, protestar aquiescência. Não pôde, nada podia dizer ou fazer.

O cérebro parecia sofrer uma brasa viva a arder.

Sabia-se rico – e os ricos eram detestados.

Publicano – e a Lei mosaica o condenava.

Reconhecia-se indigno – e Israel não o perdoaria nunca...

Mas a Voz continuava a ordenar: "Hoje me convém pousar em tua casa".

Rompeu o torpor e demandou o lar. Era indispensável preparar a recepção.

As lágrimas desatavam nos seus olhos cansados e o coração estuava, após tão longa solidão. A esposa, a ele abraçada, chorava também.

Procurava uma forma de apequenar-se na grandeza da casa luxuosa, engrandecer-se na pequenez em que a aflição o colocava, para receber o Rabi, o Amigo Único...

É quase noite.

Uma fímbria de ouro forte borda os montes de luz, no poente, e derrama um leque de plumas irisadas que adornam ligeiras nuvens passantes...

À porta da casa, com a família reunida, emocionado, Zaqueu aguarda.

Teme, porém, que o Rabi não lhe adentre o lar.

Não se sente digno de hospedá-lO, mas tudo daria para receber tal honra.

– *Senhor!* – exclama alguém. – *Pernoitarás na casa desse publicano?...*

Publicano! Espoca a palavra aos ouvidos de Zaqueu. A marca insculpe, no dorido e ansioso coração de Zaqueu, a dor, em fogo!

– *Senhor* – tartamudeia o arrecadador das taxas –, *eis que eu dou aos pobres metade dos meus bens; e, se nalguma coisa tenho defraudado alguém, restituo-o quadruplicado. Entra na minha casa!*

Não pôde continuar, pois que, lívido e afásico, momentaneamente, foi dominado por inextricável comoção.

Jesus sorriu, um riso leve e bom como um hausto de amor.

– *Hoje* – disse suave – *veio a salvação a esta casa, pois também este é filho de Abraão. Porque o Filho do Homem veio buscar e salvar o que se havia perdido.*

Após uma pausa, em que se ouviam as murmurações da noite chegando, o Senhor narrou a inconfundível Parábola das Dez Minas, tomando, como imagem preliminar, o príncipe israelita Arquelau, que "partiu para uma terra remota, a fim de tomar para si um reino e voltar depois"...

Zaqueu apequenou-se, e engrandeceu-se.

Submeteu-se à humilhação, glorificando-se na humildade.

Contam narradores dos eventos evangélicos que, transcorridos muitos anos após a epopeia da Cruz, por solicitação de Simão Pedro, o antigo publicano foi dirigir florescente igreja cristã em terras de Cesareia, rico de amor e humildade, dirigido por Jesus...

16

A FAMÍLIA DE BETÂNIA

Cercada por imensos campos de cevada, pequenos bosques de olivedos e figueiras que sombreiam a estrada de Jericó serpenteante junto às muralhas, Betânia ficava a uma hora de Jerusalém.[36]

Da Porta Dourada, a via de Jericó atingia o Cédron e contornava o Monte das Oliveiras, antes de ganhar a direção de Bethfagé.

O cenário de Betânia diferia frontalmente da opulência barulhenta da cidade dos profetas.

Embora "as trovoadas de *marheswhan*[37] tão semelhantes aos toques de trombetas" que desabam repentinamente, o ar translúcido e leve permitia, como ainda hoje, a visão a longas distâncias. Ao sul, na direção das terras de Moab, ou ao nordeste, por cima dos Montes Gerasianos, o céu tranquilo e o ar transparente sempre oferecem visibilidade incomparável.

---

36. Lucas, 10: 38 a 42.

37. Marheswhan: mês de novembro (notas da autora espiritual).

A aldeia singela parecia contrastar no seu verdor com a áspera Judeia a que pertencia.

Tudo ali era bucolismo: tapetes de flores miúdas caíam sobre a relva verdejante, e a coroa do Monte das Oliveiras, ao longe, tingia com o verde-cinza das árvores a paisagem deslumbrante.

Os declives cheios de folhagens exibiam casas brancas de alpendres floridos.

Próxima à capital ficava, no entanto, muito longe em comparação ao fausto e à bulha da grande cidade.

O remanso que era Betânia fazia-se agradável refúgio após as afadigantes jornadas.

Diversas vezes Jesus procurara aqueles sítios para retemperar o coração e alentar outros corações.

Naquele outubro de 29, quando começavam as primeiras trovoadas e os ânimos em Jerusalém exaltavam-se, o Mestre procurou a encantadora Betânia.

A rede de intrigas apertava as malhas.

Sinedritas espreitavam e espalhavam espiões pela senda do Rabi.

Desejavam surpreendê-lO em blasfêmia.

Jesus, porém, imperturbável, continuava a sementeira da verdade. Ele sabia que os homens são "meninos espirituais", que o ódio é a consequência do amor selvagem atemorizado.

Se de um lado o despeito e a inveja trançavam as cordas odientas da perseguição implacável, o cendal de amores abria seus tecidos e envolvia muitos espíritos valorosos e dedicados.

Em Betânia, Lázaro e suas irmãs, Marta e Maria, são o atestado eloquente desse amor.

Sem medo dos fariseus ou das murmurações dos vizinhos tímidos e receosos, albergavam Jesus no seu lar cercado de rosas perfumadas e construído de paredes cobertas de plantas trepadeiras. Em derredor os cedros e pessegueiros em flor constituíam postal formoso, do qual se destacava a casinha cúbica de largo alpendre com colunas abraçadas por hera verde-escura.

Amavam Jesus e diziam-no abertamente. Fizeram-nO membro da família; e recebê-lO em casa representava o engastar de uma estrela nas paredes domésticas.

Muitos desses amigos amorosos entrariam entoando cânticos, em breve, em Jerusalém, seguiriam o cortejo da Cruz, subiriam o Gólgota, se deslumbrariam na Ressurreição; seguindo, por fim, à Galileia, para as últimas instruções antes de Ele ascender... E prosseguiriam heroicamente, avançando por sobre as pegadas deixadas, dilatando as esperanças do Reino...

Também a esses amigos, aos quais muito amava, Ele ofereceu os mais expressivos tesouros de luz e vida.

A Lázaro, que o destacou através da amizade pura, arrancará das sombras da catalepsia, meses depois, quando chamado de longe, pelas irmãs chorosas, ao encontrá-lo no sepulcro entre os tecidos fúnebres, ressumando miasmas...

Coroados de ouro diáfano e violeta, os montes e as colinas se aquietam no abraço do ocaso. Do vale fresco sobem suaves aromas.

As *vozes da Natureza* entoam uma Pastoral.

O ar diáfano corre em lufadas leves.

As primeiras lâmpadas bruxuleiam com luz vermelho-amarelada nas casas.

Terminada a Festa das Tendas, em Jerusalém, e suportadas varonilmente as lutas, Jesus e os Seus necessitavam de repouso.

O Mestre não ignorava as dificuldades, e os Doze se surpreendiam de quando em quando, amedrontados.

Confraternizando com o poente de ouro, a lua em prata bordava o firmamento.

Avisado por um discípulo que seguira à frente, Lázaro aguarda jovialmente o Rabi e os Seus, à porta da casinha risonha e franca.

– *Paz se faça nesta casa* – disse o Senhor.

– *Paz convosco, Mestre* – respondeu Lázaro em efusivo abraço, enquanto osculava o rosto do Hóspede querido.

As duas irmãs se apressavam em receber os visitantes, servindo-lhes água para as abluções e o lar emoldurava-se cheio da natural algaravia que se estabeleceu.

Marta, apressada, correu aos misteres domésticos: preparava o repasto, arrumava os leitos, dispunha a mesa... Ofegante, corre e se apresta, procura Maria, chama-a.

Enquanto lá fora o murmúrio de vozes apaga-se e a noite avança calçada de silêncio, o Rabi narra a Lázaro os últimos acontecimentos, e explana sobre o futuro.

Maria senta-se-Lhe aos pés e fita-O docemente, acompanhando a narrativa com embevecimento.

– *Maria!* – grita a outra.

E encontrando-a, reclama:

– *Mestre! Manda-a ajudar-me. Enquanto me estafo* – sorriu, afável –, *ela Te importuna, sem preparar a casa para o repasto.*

– *Marta, Marta!* – respondeu Jesus, sorrindo. – *Estás afadigada com muitas coisas, mas uma só é necessária; e Maria escolheu a melhor parte, a qual não lhe será tirada.*

Enquanto Marta, desapontada, aquietou-se, o Senhor docilmente narrou:

– *Um homem casado recebeu a notícia de que um Rei passaria pelo seu lar. Preparou a casa com a esposa. Quando o monarca chegou, dele acercou-se para ouvi-lo e homenageá--lo, enquanto a mulher correu a atender às pequenas tarefas. Mas o Rei ali não podia ficar, e após o repasto ligeiro, partiu. Somente aquele que o escutou inteirou-se do programa do seu reinado, o que era mais importante...*

– *Desculpa-me* – justificou-se Marta –, *são os velhos hábitos muito arraigados.*

– *Para atingir a plenitude* – acrescentou o Amigo –, *só uma coisa basta: espírito de luta capaz de arrebentar as velhas algemas e, renovado, entregar-se, totalmente, às coisas do Pai Celeste.*

– *Tens razão* – concordou a anfitrioa.

– *O pão, o agasalho* – esclareceu Jesus – *a terra no-los dá. O céu estrelado é cobertor excelente e o solo gentil é celeiro sagrado. A palavra, no entanto, é semente de vida. As preocupações sobre as coisas imediatas caracterizam a horizontalidade em que muitos se perdem, perturbados pela própria* azáfama *na luta em que se embrenham. A busca incessante da verdade, em permuta entre as coisas múltiplas pela aquisição de uma só paz interior com segurança espiritual, eis a vertical libertadora.*

O homem afadiga-se inutilmente e perde-se a si mesmo, como se estivesse em labirinto cruel por ignorar as diferenças capitais entre os valores imaginários e os reais.

Uns se aferram à posse e são vencidos pelo que possuem. Outros se encastelam nas paixões e sucumbem soterrados ao peso delas. Inumeráveis se agarram às ambições e enlouquecem percorrendo as sendas escabrosas.

O Mestre relanceou o olhar em derredor.

A sala iluminada apresentava a moldura da noite.

Atentos e curiosos, os donos da casa e os discípulos ouviam silenciosos.

Após a breve pausa e com maior ênfase, o Rabi prosseguiu:

– *Os vencedores do mundo enquanto vivem estão inquietos e quando atravessam o umbral do túmulo estão sempre vencidos e sofredores, atados às amarras da retaguarda. Somente os que conseguem vencer o mundo e suas alucinações ascendem verticalmente no rumo da glória espiritual sem infortúnio. Por essa razão, "o Filho do Homem não possui uma pedra para repousar a cabeça, embora as aves dos céus tenham ninhos e as serpentes e os lobos possuam covis". Desdenhando todas as coisas, a uma apenas se atém: amar a todos, indiscriminadamente, a fim de que o reino de entendimento em perfeita comunhão de ideias prontamente se estabeleça entre as criaturas da Terra.*

– *Senhor* – indagou, emocionado, João –, *demorará muito a chegar essa hora de entendimento humano?*

– *As sementes* – respondeu o Interlocutor – *estão sendo lançadas nestes dias. A floração e a colheita pertencem a Nosso Pai. Semeemos todos, amando-nos uns aos outros, incansáveis e sem pressa e, fascinados pela verdade, avancemos resolutos, pois que só isto, realmente, é necessário.*

Fora recendiam suaves aromas ao vento brando que derramava leve bulício no arvoredo, enquanto as estrelas espiavam de muito longe, quais vigilantes atenciosos com a curiosidade aguçada...

17

A REDIVIVA DE MAGDALA

A emoção desbordava em lágrimas, enquanto sentada à entrada do sepulcro aberto na rocha, conjecturava: que acontecera? Para onde O teriam levado e por que O trasladaram daqueles sítios, no silêncio da noite?[38]

A inquietação assumia proporções de desespero que a dominava lentamente.

O Sol irisava as nuvens pardacentas, e o vento frio sacudia as poucas anêmonas e raras rosas por entre os arbustos.

Na mente ecoavam, sonoras, as vozes dos *mancebos* de vestes alvas, que lhe disseram: – *Não tenhas medo, pois eu sei que buscais a Jesus, que foi crucificado. Ele não está aqui, porque já ressuscitou...*

---

38. Mateus, 28: 1 a 10; Marcos, 10: 1 a 11; Lucas, 7: 36 a 50 e 24: 1 a 11; João, 20: 11 a 18; Atos, 1: 6 a 8 (nota da autora espiritual).

Ela cria que o Mestre, conforme dissera, ressuscitaria dos mortos. Temia, no entanto, que os judeus houvessem roubado o corpo.

Atemorizadas, Joana de Cusa, Maria, mãe de Marcos, e as outras companheiras desceram à cidade para anunciar o desaparecimento do corpo do Rabi.

Pedro e João subiram o monte ansiosos e constataram os fatos: os lençóis com as substâncias aromáticas do embalsamamento no túmulo vazio, o lenço, a pedra afastada...

Estarrecidos, os dois discípulos retornaram à cidade, com as tristes novas; ela ficara chorando.

Os acontecimentos daqueles últimos dias foram muito dolorosos e surpreendentes. Não conseguia compreender nem concatenar os sucessos.

Uma saudade feita de pungente dor estrangulava-lhe o peito.

Foi muito rápido. Teve a impressão de uma aragem que perpassou levemente perfumada.

Voltou-se para trás e por entre as lágrimas viu, a poucos metros, um homem que lhe perguntou:

– Mulher, por que choras? Quem buscas?...

Aquela voz, aquele perfil! Não pôde concluir o raciocínio.

– Maria!...

– Raboni!

O deslumbramento dominou-a. O Mestre vivia e ali estava, radioso como a madrugada nascente!

– Não me detenhas!... vai para meus irmãos, e dize-lhes que eu sigo para meu Pai e vosso Pai, meu Deus e vosso Deus!

A luz de ouro do amanhecer incidia sobre as suas vestes, que fulguravam, e miríades de pequeninos sóis pareciam incrustadas n'Ele.

Ficou esmagada de felicidade. Desejou traduzir com palavras as impressões incomparáveis como as dores vividas até há pouco. Não pôde fazê-lo; a voz estava morta na garganta hirta e constringida. – *Vai para meus irmãos e dize-lhes...* – reboava-lhe nos refolhos do Espírito.

Pôs-se de pé. Sorriu e, sem mais delongas, tomou o rumo da cidade que despertava, com a alma em cânticos de excelsa alegria.

O leve ar da manhã embalsamada com os últimos perfumes da quadra, o verde dos campos de Acra e Bezeta, a paisagem emoldurada de sol com o píncaro dos montes debruado a ouro – eis a tela sublime em que Ele volvera.

Venceu a distância com febricidade e atingiu o cenáculo onde os companheiros se acolhiam constrangidos e receosos.

Pairavam no ambiente triste as sombras do desgosto.

Ela disse, logo que atravessou a porta, e sua voz cantava:

– *Eu O vi! Vi o Rabi! O Mestre voltou aos que O amam!*

Sorria e chorava. Tartamudeando, com o rosto rubro pela emoção, prosseguiu:

– *Mandou-me anunciá-lO aos seus irmãos. Elevar-se-á ao Pai. Ouvi bem: Jesus vive!*

Todas as suas fibras tremiam, como se fossem disjuntar.

Sua voz vibrava harmonias que não encontravam receptividade no coração dos companheiros. Aqueles, ela conhecia da convivência diária naquelas últimas semanas.

– *Conta-me, filha* – falou Maria, ansiosa, aquela que era mãe d'Ele. – *Fala-me tudo. Meu filho voltou?*

A voz tremia de compreensível emotividade.

– *Não o creio* – bradou alguém dentre eles. – *O Mestre morreu e deixou-nos nesta dificuldade, a sós... Não creio na sua volta. Só mesmo vendo-O...*

Ela relanceou os olhos muito brilhantes pelo recinto, procurando o contraditor.

Ele avançou na sua direção, face contraída num *ríctus* de ira e desencanto. Antes que ela dissesse algo, ele se interpôs, diante do auditório perplexo, atônito, e vociferou:

– *Mesmo que Ele viesse...*

Interrompeu-se numa pausa.

– *...Iria apresentar-se a quem? Certamente que a Simão, que Ele elegera para conduzir-nos; ou a João, a quem sempre distinguiu com o Seu amor; ou à Sua mãe...*

Transparecia no tom sarcástico e zombeteiro da palavra cortante todo o azedume do seu Espírito atormentado e infeliz.

E depois de pausa maior, ante a estupefação de todos:

– *...Mas a ti Ele apareceu? Não, não o creio. Não creiamos. Não é possível que Ele tenha aparecido exatamente a ela. Não estiveram outras no sepulcro? João e Pedro lá não foram? Por que a ela?...*

Foi como uma chuva de gelo e mal-estar que caísse sobre todos.

Um silêncio incômodo invadiu a sala.

Ela recuou.

As indagações finais foram cruéis punhaladas. "A ti?". "Por que a ela?". Eram ácidos queimando e requeimando.

Mesmo assim, com grande esforço, vencendo o próprio sofrimento, retrucou com voz débil:

– *É verdade! Mesmo que não o creias, eu O vi. Apesar da minha antiga e infeliz condição* – balbuciou humilhada –, *a mim me apareceu há pouco o Rabi...*

– *Eu o creio, filha* – acentuou a Sua saudosa mãe. – *Secreto pressentimento diz-me que meu filho vive. Eu o creio, porque sei que a nossa dor e saudade estão com Ele, como a Sua saudade se demora em nós.*

Envolveu-a docemente e procurou ouvi-la com atencioso carinho.

Mentalmente ela refez os caminhos percorridos – longos e tortuosos!

Muitas vezes a bofetada lhe estrugiria em plena face. Era mesmo natural que lhe duvidassem da palavra. Ela se sentia toda podridão. Não fora o chamado do Rabi e estaria, talvez, na enxerga da infinita descompostura ou na total destruição. E muitas vezes, no futuro, verteria o pranto da recuperação, até às fezes, por ter sido louca.

É comum proclamar-se virtude, meditava, e impedir-lhe a propagação.

Quantas novas tentações procurava sublimar, só ela o sabia.

Facilmente se impreca contra o erro, mas bem poucos são aqueles que alongam as mãos convertidas em alavancas de soerguimento para ampararem as vítimas da ignorância e da criminalidade.

Não que desejasse justificar-se.

Sua conduta fora inclassificável. Ela fora abjeta, sim, reconhecia-o.

Em Magdala, seu nome e sua vila faziam parte integrante do roteiro de degradação da cidade.

Ali se estabelecera...

❧

Magdala era um centro de comércio e indústria de muita prosperidade. Para lá acorriam mercadores e aventureiros de todo o Oriente. Reclinada sobre as bordas do mar, gozava de clima ameno e desfrutava de águas piscosas privilegiadas.

Estação de repouso, recebia viajantes ilustres e nobres gregos, romanos, babilônios, fenícios, medos, que lhe disputavam as amenidades, conseguindo negócios rendosos e prazeres fáceis.

Compreensivelmente afluíam, também, aventureiros e cortesãs de corpos cansados que exibiam em luxuosas residências a mercadoria do próprio sofrimento, em noites de orgia e loucura, no caminho da queda total nas valas morais.

Depois de dolorosas e rudes experiências, ela conseguira adquirir, na cidade famosa, luxuoso palacete, favorecido com jardins e pomar imenso onde sicômoros antigos e vetustos confraternizavam com plátanos, roseiras e madressilvas pequeninas.

Em sua casa recepcionava os homens mais requestados que transitavam pela urbe agitada.

Era muito jovem; o licor da mocidade corria capitoso e sedutor, atraindo compradores ricos que se disputavam a vaidade de consegui-lo.

A noite sempre lhe fora comparsa discreta, pois que, ao cair das sombras e ao acender das lâmpadas e tocheiros, a velha porta de carvalho, nos muros externos, dava acesso àqueles que, na via pública, por preconceitos e hipocrisia, exibiriam a *honra* de apedrejá-la logo houvesse ocasião...

Possuía na sua vivenda de linhas gregas, sóbrias, tudo quanto a ambição pode cobiçar: joias exóticas de alto preço, perfumes raros e essências originais em vasilhames de alabastro trabalhado, tapetes persas e babilônios, arcas abarrotadas de sedas e damascos, móveis de mogno artisticamente lavrados, moedas de todas as procedências, servos originários de vários países... Tudo quanto a vaidade diz que produz felicidade. Mas não se sentia feliz nem ditosa.

Na imensa residência rica, cheia de preciosidades, sentia-se vazia, vulgar e atormentada.

A sua condição de mulher rica não lhe mudava o caráter infame de pobre meretriz, mercadora dos perfumes da ilusão.

Sofria indizível amargura.

Em longas e tristes noites de soledade, parecia escutar vozes zombeteiras que lhe chicanavam a desdita e quase sempre experimentava os incomparáveis tormentos da obsessão pertinaz na mente e carnes cansadas e doloridas.

Diziam-na endemoninhada e temia sê-lo.

As mulheres, talvez mais felizes, além de seus muros, invejavam-na, detestando-a ao mesmo tempo e os homens inquietavam-na, perseguindo-a.

Tinha ânsia de paz no imenso cairel do abismo das paixões aniquiladoras e desejava o amor – um estranho amor –, um estranho amor que ambicionava secretamente, sem que o encontrasse.

O amor que conhecia era, em verdade, luxúria e dissabor.

Acreditava no amor que fosse feito de paz e ternura, doação plena e tranquilizante. Não esperava fruí-lo, todavia. Era sumamente infeliz e aguardava, um dia não muito longe, a selvajaria de algum guerreiro déspota impiedoso ou as pedras da falsa pudicícia, na praça...

De coração generoso, gostava de ajudar e por ser infeliz compreendia a dor dos sofredores e se apiedava da aflição dos desditosos. Suas mãos e dedos adereçados derramavam moedas e ofertavam pães, e se as portas da sua casa se fechavam frequentemente aos servos do prazer, seus servos tinham severas ordens de abri-las à dor e ao sofrimento que buscasse ajuda ou guarida.

Quando a serenidade lhe possuía a mente, voltava à infância risonha, como em sonhos e enlevos festivos, surpreendendo-se, depois, com a realidade causticante.

O nome d'Ele soava na acústica dos corações como a melodia suave de uma harpa tangida ao longe.

A dor foge, ao contato das suas mãos, e a luz dilata pupilas mortas; uma alegria espiritual invade aqueles que convivem com Ele e uma esperança estranha e doce empolga os corações, onde Ele se encontra – comentavam todas as vozes.

As servas falavam sobre Ele com estranho fascínio no olhar, antes mortiço e sem vitalidade. Chamavam-nO *Libertador* e completavam que não era um libertador comum, quais aqueles que prometem quebrar as algemas de ferro da escravidão política e social, mas um singular salvador, que oferecia paz perene e libertação total: tranquilidade e segurança íntima, independentes da situação física em que transitassem.

Nas praças ou nas praias, pelos caminhos as multidões seguiam-nO fascinadas, como se Ele exalasse felicidade, naqueles dias rudes de provanças e misérias.

Numa noite de perfumes primaveris, instada por uma serva de confiança, dedicada e fiel, permitiu um diálogo sobre Ele.

Trazia o coração opresso e sentia a álgida constrição das forças ignotas que lhe atezanavam o Espírito, perturbando-lhe a razão e amargurando-lhe as horas.

A jovem, que O escutara às vésperas, falou com desembaraço:

– *Senhora, hoje Ele pernoita perto daqui, em Cafarnaum. Ide vê-lO, senhora!*

A voz era quase súplice.

Dançavam-lhe na mente as fantasias do seu desespero, e assim mesmo, considerou:

– *Receber-me-á, o teu Rabi?* – dissera com desprezo de si mesma. – *Os Rabis são puros e detestam os infelizes, levantando a voz para ameaçar com castigos e punições aqueles que, iguais a mim, tombaram nas rampas da desgraça...*

– *O Rabi* – esclareceu a jovem, entusiasta – *ama os sofredores e confabula com todos, informando que as impurezas muitas vezes estão ocultas e ninguém as vê, dignos todos, no entanto, de compreensão e ajuda.*

– *Mas, eu sou diferente. Tu sabes que sou...* – lágrimas fluíram quentes e confortadoras como há muito não expunha.

– *Senhora, Ele diz que veio encontrar o que estava perdido.*

– *Sou uma condenada... dominada por Espíritos imundos!*

– *Ele é a Porta de redenção.*

– *?...*

– *Vamos, senhora! Ele vos receberá!*

A noite balouçava luzes miúdas no firmamento escuro, quando uma embarcação singrou as águas, no rumo de Cafarnaum.

O diálogo fora breve. Toda uma vida, porém, perpassou nele...

Ao retornar não era a mesma.

Estranha e poderosa transformação imprimira no seu íntimo esperanças e ideais novos, dantes jamais sonhados.

Sentira-se morrer enquanto O ouvia e sentira-se viver enquanto retornava.

Na manhã seguinte Magdala soube, pasmada, a notícia da conversão da pecadora. Distribuíra tudo quanto possuía e, com o estritamente necessário, iniciara vida nova.

– *Retornará* – zombavam uns.

– *Sempre foi louca!* – mofavam outros.

– *A cidade não a perderá; voltará às noites de prazer!* – arrematavam os mais cínicos.

Transcorridos poucos dias...

Magdala era uma cidade paradoxal.

Rica e deslumbrante, hospedava esses caracteres exóticos e atrabiliários que pululam em todas as cidades de luxo e lazer, em todos os tempos.

Havia em Magdala um homem de hábitos estranhos. Chamava-se Simão e permitia-se o devaneio de recepcionar pessoas ilustres que transitavam pela urbe famosa. Simão era fariseu, tendo o orgulho de zelar pelas tradições e exibir a fortuna pessoal.

Pelo seu palacete passaram respeitáveis figuras das artes e do pensamento, gênios das guerras e das leis, sacerdotes e magos itinerantes. E os banquetes com que os homenageou, homenageando a si mesmo, foram comentados por toda a cidade dias a fio.

Simão, como todas as pessoas de Magdala, ouvira falar sobre Jesus. Empolgado com a notoriedade do Galileu, teve a ideia de recebê-lO em seu lar, apresentá-lO aos amigos, dialogar com Ele.

Talvez, pensava Simão, Ele fosse o Esperado Libertador, conforme lhe afiançara um rico mercador, e seria prudente ser-Lhe amigo para estar em triunfo à hora do seu triunfo; se fosse um Rabi autêntico, ser-lhe-ia honroso receber um homem santo, naqueles dias de franco profetismo em Israel.

Sabendo que o Mestre se encontrava perto de Magdala, enviou emissários com o convite auspicioso.

Tendo-o aceitado, no dia aprazado, o Rabi e dois discípulos, ante a curiosidade dos que acorreram à estrada por onde deveriam passar, chegaram à casa engalanada e foram recebidos com risos de júbilo e maldisfarçado motejo.

Introduzidos à intimidade doméstica, o repasto teve início.

Os divãs espalhados receberam os convidados confortavelmente e os servos, que conduziam as pequenas mesas com iguarias e frutos secos, puseram-se, obsequiosos, a servir.

Harpas dedilhadas suavemente enchiam a sala ampla, entre colunas esguias, de melodia triste.

O ar, porém, pesava.

Simão olhava de esguelha o Estranho que parecia distante.

O silêncio incômodo entre os convidados tornava a festa insípida, desagradável.

As motivações de palestras redundavam em respostas monossilábicas, sem interesse.

Quase ao fim do banquete, ouviram-se gritos e vozes em altercação violenta, quando, subitamente, irrompeu sala a dentro a figura desgrenhada e chorosa de estranha mulher.

Os cabelos desnastrados colavam-se à larga testa banhada de suor; os olhos brilhavam com intensidade, fora das órbitas; os zigomas salientes, corados, pareciam maçãs maduras; as vestes desalinhadas...

Ela olhou em derredor, como se procurasse alguém e, semienlouquecida, arrojou-se aos pés do Rabi, que permaneceu, impassível, na posição em que se encontrava.

Tudo fora tão rápido que Simão não tivera tempo de tomar qualquer atitude.

Estava estupefato! Conhecia, sim, aquela mulher. Visitara antes sua casa e lá participara de alguma noite orgíaca...

Estranha sensação visitou-o num átimo.

Suor frio e abundante começou a escorrer, desagradável.

Seu lar honrado acolhia uma mulher de má vida.

Desejou expulsá-la. Intentou mesmo fazê-lo. Temeu, porém.

Conhecia a *coragem* dela, a sua audácia, pois que se atrevera a chegar até ali...

Era Maria!

Transtornada pela vitória que experimentara desde o encontro com o Rabi, sentira-se liberta dos sete Espíritos demoníacos que a infelicitavam. Era outra, inteiramente renovada.

Quanto sofrera sob o jugo deles!

Mortificações, desesperos sem-nome, crises terríveis de languidez e pavor experimentara nas suas malhas cruéis.

Desde, porém, que os Seus olhos claros incidiram sobre ela, na noite que O fora ver, que se sentia libertada.

Uma alegria nova, como jamais dantes experimentara, dominou-lhe o Espírito aturdido e sofredor.

Sentia-se esperançada, embora recém-saída do pantanal.

Conjecturando, recordava-se das palavras d'Ele, no encontro inolvidável: "Há flores perfumadas e de brancura imaculada que espalham aroma sobre o lodo que lhes segura as raízes...".

Refaria os caminhos. Lutaria!

Após libertar-se da canga da posse, desejou, publicamente, apresentar os sinais inequívocos do seu renascimento.

O banquete na casa de Simão, que ela conhecia, significava sua oportunidade.

Não trepidou. Poderia ser expulsa ou mesmo lapidada. Não tinha de que recear. Mesmo que fosse necessário resgatar com sangue suas culpas, estava disposta a lavar a própria vergonha.

Animada por tais pensamentos, seguiu arrebatada com a mente em febre de esperanças.

Ei-la, agora, ali. Todos a fitavam com desagrado.

As lágrimas saltavam-lhe dos olhos e caíam sobre os pés d'Ele. Enxugava-os com a basta cabeleira. Quebrou o gargalo do vaso de alabastro que conduzia e derramou o unguento nos pés do Rabi, que foram balsamizados com piedoso carinho. O perfume de rara essência invadiu o recinto e ela prosseguiu repetindo generoso gesto.

Ele não dizia nada, como se nada sentisse.

O almoço foi encerrado friamente. Os demais convidados faziam questão de não ocultar o falso constrangimento.

Entre dentes e irado, Simão resmungava:

– Se este fora profeta, bem saberia quem e qual é a mulher que o tocou, pois é uma pecadora.

Jesus relanceou tranquilamente os olhos muito puros, e com serena entonação de voz, indagou:

– Simão, uma coisa tenho a dizer-te.

– Dize-a, Mestre.

Um certo credor tinha dois devedores: um devia-lhe quinhentos e outro cinquenta dinares. Não tendo eles com que pagar a dívida, perdoou-lhes a ambos. Dize, pois, qual deles o amará mais?

Simão sorriu pela primeira vez. Era astuto, hábil nos negócios. Instado à conversação direta, respondeu com alegria:

– *Tenho para mim que é aquele a quem mais perdoou.*

– *Julgaste bem.*

O Rabi dirigiu à mulher sofredora e inquiriu Simão, outra vez:

– *Vês esta mulher? Entrei em tua casa, e não me deste água para os pés; mas esta regou-me os pés com lágrimas, e m'os enxugou com os seus cabelos. Não me deste ósculo, mas esta, desde que entrou, não cessa de me beijar os pés. Não me ungiste a cabeça com óleo, mas esta ungiu-me os pés com unguento... Por isso te digo que os seus muitos pecados lhe são perdoados, porque muito amou; mas aquele a quem pouco é perdoado pouco ama.*

Simão estava estarrecido. Não compreendia aquelas palavras claras, talvez pelo impacto das desordenadas emoções que estrugiam no seu Espírito atormentado e pusilânime.

Abriu desmesuradamente os olhos e fitou o Rabi.

O Mestre pôs-se de pé e, oferecendo as mãos à pecadora, falou com doçura:

– *Os teus pecados te são perdoados... vai-te em paz!*

Ela levantara-se de um salto, exuberante de felicidade, e explodindo sonora gargalhada, saiu como chegara: a correr.

Desapareceu de Magdala.

Todas as tardes, porém, na multidão, ajudava crianças enfermas, oferecendo olhos a cegos e mãos a trôpegos, arrependida e ansiosa pela própria renovação total, pôs-se a seguir Jesus de cidade em cidade, por onde Ele fosse...

Há poucos dias entrara com os demais galileus, jubilosa, em Jerusalém.

Havia, porém, tanta tristeza n'Ele, ao cavalgar com o jumento, que se entristecera, também.

⸙

Continuou repassando os acontecimentos pela mente atribulada.

A denúncia de Judas, a prisão d'Ele, o julgamento arbitrário, a caminhada para o Monte da Caveira...

Daria a vida para ter-Lhe diminuído os sofrimentos.

Quando, com as outras mulheres que O seguiam, O vira cair, correra a sustentá-lO.

Ele, estoico e sublime como sempre, falou-lhes, por entre lábios macerados e feridos:

– *Filhas de Jerusalém, não choreis por mim; chorai antes por vós mesmas, e por vossos filhos. Porque eis que hão de vir dias em que dirão: Bem-aventuradas as estéreis, e os ventres que não geraram, e os peitos que não amamentaram! Direis aos montes: caí sobre nós; e aos outeiros: cobri-nos. Porque, se ao madeiro verde fazem isto, que se fará ao seco?*

Gargalhadas zombeteiras estrugiram na multidão...

Por fim, a dolorosa hora da Cruz.

Ante as lágrimas de Sua Mãe, fizera o legado da fraternidade universal, entregando-a a João, e este àquela.

Ele ficara no madeiro da infâmia.

Fitando-o exangue, já exânime, nos instantes extremos, receara enlouquecer de dor, ao lado de Sua Mãe, quando notou que a cruz, símbolo tradicional de punição, se tornava rota eloquente de sublimação após Ele: uma ponte para a Imortalidade.

Quando a cabeça d'Ele pendeu, desejou cingir-lhe outra vez os pés e osculá-los com ternura, mas se sentiu imobilizada...

❧

Abriu os olhos doridos de chorar ante as recordações.

– *Bom ânimo, filha!* – falou ternamente a Mãe sublime. – *As nossas dores estão com Ele.*

– *Eu O vi, mãe!* – gaguejou.

– *Creio-o, filha. Creio, sim. Sei que meu filho vive!*

❧

Os dias passavam agora feitos de saudade e recordações. Voltou com os companheiros à Galileia franca e generosa, às águas inquietas do mar que Ele tanto amara.

A frase terrível, com que o companheiro invigilante a satirizara, continuava a persegui-la mentalmente.

Lá Ele reapareceu e falou longamente a todos, quase quinhentos, concitando-os à pregação dos Seus "ditos" e à edificação do Reino da Luz nas fronteiras do espírito.

– *Ide e pregai a todas as gentes...*

– *No mundo só tereis aflições...*

– *Lembrai-vos de mim, eu venci o mundo...*

– *Eu vos mando como ovelhas mansas...*

Soavam no ar os novos ensinos...

Ontem foram as notícias trazidas pelos jornaleiros dos caminhos de Emaús; hoje é a pesca incomparável... Ausente, Ele jamais estivera tão próximo, e continuava inundando os corações com sua presença inconfundível.

Era o ministério que para eles começava...

Quarenta dias depois dos terríveis acontecimentos, Ele apareceu à sua Mãe e aos Onze, que estavam em

Jerusalém, e levou-os até a Betânia. Todos O seguiram ansiosos, felizes, como nos dias idos...

Não era, porém, a jornada como outrora. Entre eles havia felicidade e também temor. A felicidade do reencontro e o temor da fraqueza de que deram mostras.

Chegando ao cume da montanha, com a cidade resplandecente aos seus pés, os companheiros perguntaram:

– *Senhor, restaurarás Tu, neste tempo, o reino a Israel?*

O Mestre olhou-os com aquela tristeza do passado. Os amigos ainda não compreendiam qual era o Seu Reino, Reino sem dimensão geográfica nem política, a perder-se nas galáxias do firmamento...

Respondeu-lhes com o acento de excelsa compreensão:

– *Não vos pertence saber os tempos ou as estações que o Pai estabeleceu pelo seu próprio poder.*

E, ante a muda interrogação de todos, acrescentou:

– *Recebereis as virtudes do Espírito Santo, que há de vir sobre vós; e ser-me-eis testemunhas, tanto em Jerusalém como em toda a Judeia, Samaria e até os confins da Terra.*

Todos estavam com os olhos fitos n'Ele e, só então, perceberam que Ele ascendia lentamente, as mãos voltadas para eles num gesto de afago, as vestes luminosas, até desaparecer nas alturas...

Depois de lutas tiranizantes consigo mesma, experimentou a soledade e o abandono, quando todos se foram a pregar e viver a Mensagem.

Estando a sós, a pervagar pelas praias longas que O recordavam, encontrou leprosos que vinham de longe a buscar socorro nas mãos d'Ele e, como chegassem tarde, abraçou-os como irmãos e partiu para o vale dos imundos, cantando salmodias de felicidade...

Rediviva desde quando O conhecera, ao morrer às portas da cidade de Éfeso, demandou a Vida nos braços de Jesus aquela, cuja experiência e amor total ao Mestre são lições vivas vencendo os séculos...

18

IDE, E CONQUISTAI A TERRA!

A saudade pairava como ar misterioso em toda parte.[39]

Na Galileia tudo eram evocações: o cenário do mar cantante e generoso, imenso e piscoso, que Ele tanto amara; as cidades ribeirinhas adornadas de sebes verdejantes e ricas de pomares; as rechãs coroadas de trigo que Lhe inspiraram as inconfundíveis parábolas!... Tudo, lá, na romanesca Região das almas simples do povo, estava assinalado pelos selos da Sua mansidão. Mesmo os montes serenos e cansados de permanecerem sob ventos, Sol e chuva, pareciam recordá-lO. O Jordão na cantilena das suas águas murmurejantes, carreando sal para o mar Morto, igualmente O evocava! Todos os recantos, naquela querida Galileia de amores simples e gente apaixonada, de fé abrasadora e coração de criança, guardavam as marcas

39. Atos dos Apóstolos, capítulos 1 e 2 (nota da autora espiritual).

vivas das suas pegadas. Seus caminhos, Ele os percorrera, e os seus cenários Ele emoldurara com as mais tocantes expressões de carinho.

Caná fora assinalada pelo admirável fenômeno da transformação da água em vinho; Magdala acolhera-O mais de uma vez, na antiga residência da mulher atormentada que Ele libertou; Naim fora contemplada com a recuperação da criança, aparentemente morta; e Cafarnaum, Tiberíades, Nazaré, as cidadezinhas da Samaria, todas elas eram recordações dele, impregnadas da sua presença.

Na Judeia, raras exceções, as cenas evocativas da traição, da paixão, da soledade, do presídio, do suplício, da morte... e da ressurreição!

Fora, no entanto, nos sítios formosos e queridos daquela Galileia singela que Ele elegera para ascender, diante do mar inolvidável, ao entardecer... Galileus eram os discípulos, exceto Judas, que nascera em Karioth, na Judeia...

Jerusalém, agora, parecia mais cruel. Seu ar era difícil de ser respirado.

Mantinham-se ali, porque para ali foram designados, ao todo, quase cento e vinte daqueles "quinhentos irmãos", testemunhas vivas da ascensão d'Ele...

Reuniam-se frequentemente no cenáculo, onde alguns residiam, aqueles que com Ele conviveram amiúde, e que aguardavam respostas que lhes clareassem as inquietudes.

Embora a comunhão mantida com o Rabi, não se sentiam preparados para o ministério. Sabiam-se inseguros.

Até há pouco os alentavam reencontros inesperados, as notícias constantes, as visões, os diálogos incomparáveis...

Agora, porém, mergulhados em saudades incoercíveis, abatiam-se, sem saber como ou por onde começar.

Reconheciam a própria ignorância e limitação.

Nem se atreveram sequer a reorganizar o grupo desfalcado com a deserção de Judas, o companheiro enganado.

Aquela era uma cidade poliglota.

Dificilmente eram entendidos ou entendiam, mesmo entre os compatriotas.

A língua hebreia era "santa", porque nela estavam escritos os Livros, herdeira de todas as tradições da raça e consagrada às questões do Senhor. Para eles, porém, homens muito simples e mesmo ignorantes, o dialeto da sua região era mais fácil e canoro. Como enfrentar dificuldades de tal monta?

Reuniam-se para evocá-lO, discutirem os Seus feitos, enriquecerem-se de piedosa comoção e chorarem de saudades, de júbilos por se saberem escolhidos, conquanto...

O Pentecostes[40] guardava uma significação toda especial para o povo, para toda a Israel.

Reuniram-se *naquele dia* consagrado ao Quinquagésimo com o espírito festivo.

---

40. Para os judeus, o Pentecostes celebra o dia em que Moisés recebeu no Sinai as *Tábuas da Lei*. Era, inicialmente, consagrado para traduzir gratidão ao Senhor pelas messes concedidas ao povo. Entre os Cristãos rememora a descida das "Vozes do Céu", no Cenáculo, cinquenta dias após a Páscoa. A Páscoa, por sua vez, recorda aos judeus a saída do Egito e é entre eles celebrada no 14º dia da primeira lua do seu ano religioso. Entre os cristãos é evocação da Ressurreição de Jesus (nota da autora espiritual).

Matias ingressara no Colégio após o lançamento de "sortes", por inspiração superior, cuja escolha fora recebida por unanimidade.

Sentiam-se, naquele dia, mais saudosos que nos dias anteriores. Experimentavam a impressão de que *algo* estava por acontecer.

A Cidade regurgitava de peregrinos.

A bulha da rua atingia o recinto cenacular em que se congregavam.

Guardavam no coração emoções que não conseguiam traduzir.

Subitamente "veio do céu um som, como de um vento veemente e impetuoso, e encheu toda a casa em que estavam assentados. Foram vistas por eles línguas de fogo, as quais pousaram sobre cada um deles. E todos foram cheios do Espírito Santo, começando a falar em outras línguas"...

Parecia-lhes terem caído escamas dos olhos e soerguidas sombras que os envolviam mentalmente. Discernimento vigoroso dominou-os a todos, lucidez e segurança irromperam em palavras que, atropeladas, a princípio fluíam dos lábios, qual se êxtase singular deles se apossasse.

Abriram as janelas, saíram à porta, dominados por impulso indomável que os guiava, falando sem mesmo saberem o quê, nem o porquê daquelas expressões que lhes eram estranhas.

Mentalmente experimentavam a impressão de um suave velejar por além dos rios insondáveis, onde anteriormente jamais deslizaram.

Aragens brandas perpassavam, conquanto o coração estivesse preso de indescritível ventura e aceleração. As veias, nas têmporas, alteadas, mal detinham o comportamento circulatório. Os olhos, brilhantes e parados, palidez mortal, suor abundante e o verbo vertido em catadupas sob estranho e vigoroso comando.

Atraídos pelo inusitado acontecimento, os transeuntes se acercaram e, curiosos, puseram-se a comentar.

Ali estavam visitantes de províncias e países remotos: *partos e medos, elamitas e os que habitavam na Mesopotâmia, Judeia, Capadócia, Ponto, na Ásia, Frígia, Panfília, Egito e partes da Líbia, junto a Cirene, forasteiros romanos, tanto judeus como prosélitos, cretenses e árabes...* e todos os escutavam em suas *próprias línguas falar das grandezas de Deus. Maravilhavam-se e estavam surpresos, dizendo uns para os outros: que quer isto dizer?*

– *Não são galileus* – interrogavam – *estes que assim nos falam? Como se assenhorearam dos nossos idiomas tão diversos e tão complexos?*

Chocarrice, atroada, porém, explodem e, passado o primeiro momento, alguém moteja: – *Estão cheios de mosto!*

Gargalhadas e gritos de zombaria acompanham os mais exaltados, que intimam:

– *Acabemos com o aranzel.*

Eles, porém, incorporados pelos Espíritos superiores, embaixadores de Jesus, pregam, transfigurados, dão começo à Era Nova do Espírito Imortal, já inaugurada pelo Rabi Ressurrecto.

As "Vozes do Céu" haviam descido, e a mediunidade ensejava a comunhão perfeita com a Imortalidade.

A "Igreja Triunfante" levantava nos corações a "Igreja Militante". O Consolador se derramava como primícia, tendo em vista o futuro longínquo em que, um dia, traria de volta ao mundo e ao homem conturbado a mensagem de vida, verdadeiro renascimento do Cristianismo puro, profético e regenerador.[41]

A xenoglossia,[42] irrompendo nos continuadores do Mestre Crucificado, pasmava.

Os glossólalos[43] prosseguiam imunes à ironia, quando Simão, vivamente mediunizado, com o semblante irradiando suave claridade, adiantou-se e, tomando a palavra, exorou, eloquente.

Não parecia o antigo homem do mar.

Não mais o pescador das águas de reflexos prateados, hábil manipulador das redes. Sua palavra, seu coração agora eram rede e barco sublimes em mar de esperança. Estava em pesca nova: a de criaturas para o Reino de Deus.

⁂

Erecto, confiante, de voz firme, disse:

– *Varões judeus, e todos os que habitais em Jerusalém...*

A palavra ardente vibrava com força e beleza.

Mentalmente revia-se no Tabor, recordava a Transfiguração do Mestre. A cena inesquecível repassava-lhe pela mente com incoercível celeridade. Os olhos umedeceram-

---

41. Com Allan Kardec, o Consolador pôde traçar diretrizes que, hoje, no Espiritismo, reproduzem a sã mensagem do Evangelho nas suas bases superiores.

42. Xenoglossia: mediunidade poliglota.

43. Glossolalia: dom das línguas (notas da autora espiritual).

-se ante a visão psíquica do Senhor, acolitado por Moisés e Elias, em vestes resplandecentes...

Lágrimas deslizavam mornas pela face sulcada das lutas.

Com verbo inconfundível, prosseguiu:

– *Estes homens não estão embriagados, como vós pensais, sendo a terceira hora do dia. Isto é o que foi dito pelo profeta Joel:*

Nos últimos dias acontecerá, diz Deus:
que do meu Espírito derramarei sobre toda a carne;
vossos filhos e as vossas filhas profetizarão,
vossos mancebos terão visões,
os vossos velhos sonharão;

E também do meu Espírito derramarei sobre os meus servos e as minhas servas naqueles dias, e profetizarão...

Fez uma pausa. O silêncio era total. Respeito natural fizera-se, e o ar transparente deixava a descoberto o azul cintilante do firmamento.

Os galileus recordavam os cenários onde Jesus pregara, as anêmonas vermelhas, tingindo os campos verde-escuros...

Farei aparecer prodígios, em cima, no céu;
e sinais, embaixo, na terra...
O Sol se converterá em trevas,
a Lua em sangue,
antes de chegar o grande e glorioso dia do Senhor!

E acontecerá que todo aquele que invocar o nome do Senhor será salvo.

Varões israelitas, escutai estas palavras: a Jesus Nazareno, varão aprovado por Deus entre vós... todos vimos a realização de prodígios, na semeação da Verdade por esse Embaixador e Excelente Filho de Deus. Depois da crucificação infamante que Lhe impusemos por nossa leviandade, ressuscitou dos mortos e nos apareceu, elegendo-nos para manter vivo e claro o Sol do Seu amor na rota dos espíritos. Saiba, pois, com certeza toda a casa de Israel que a esse Jesus, a quem vós crucificastes, Deus O fez Senhor e Cristo. Meditai e arrependei-vos, libertando-vos das hienas da cobiça, da cólera e de todas as paixões que vos seguem famélicas e impiedosas...

A palavra se alteava, alcandorada e incomparável e, enquanto modulava, impregnava os Espíritos e os corações.

Quantos a escutavam e em deslumbramento se deixavam tocar, como se estivessem transformados em harpas vivas que fossem tangidas por mãos invisíveis de invulgar destreza.

Comovidos, muitos dentre os ouvintes, aproximaram-se, ansiosos e sequiosos de paz deixando-se conduzir pelas vibrações imponderáveis que os visitavam, enquanto a palavra, a *flux*, concluía em peroração comovente.

Demorava no recinto o impregnante hálito da paz.

Cantavam no imo de todos em inarticuladas mensagens, as alegrias da hora.

Os Espíritos da Luz conduzi-los-iam pelos caminhos do mundo doravante, levantando os alquebrados, consolando os aflitos, libertando os obsidiados e pregando, esparzindo a luz, todos eles, na verdade, como o próprio Mestre fizera.

Dali marchariam, como o fizeram, para a Terra toda, entoando e vivendo a excelsa canção das Boas--novas, que agora volta a vibrar em todos os rincões do Mundo, reconduzindo o homem ao coração do Altíssimo, através de Jesus, O Rei Inconquistado.

19

SIMÃO PEDRO: PEDRA E PASTOR

A manhã esplendente parecia vibrar com a mesma esfuziante alegria que os inundava.[44]

Aquela era a Galileia querida e nobre.

O mar amigo, velho companheiro dos longos cismares e demorados labores, levantava-se em ondulações a se despedaçarem em rendas de brancas espumas nos seixos da praia amena.

Tudo entoava uma melodia de felicidade: o leve ar da alvorada, o cicio da brisa no arvoredo, o canto das aves, a orquestração da natureza... e os corações estuantes.

Aquele era o terceiro reencontro com o Mestre desde os funestos acontecimentos de Jerusalém.

Fora tão rápido!

Ele estava jogando a rede desde a noite, na ânsia de reconquistar a agilidade de outrora, depois do que aconte-

44. João, 21: 1 a 25 (nota da autora espiritual).

cera, embora a mente atada às recordações, quando ouviu a inesquecível ondulação da voz do Rabi dizer: – *Lançai a rede para a banda da direita do barco, e achareis.*

Fizera-o maquinalmente como nos dias transatos.

Ao tentar levantar as cordas, extasiou-se: a abundância de peixes era surpreendente.

Somente, então, percebeu que estava nu.

Ocultou-se no barco tosco e compôs-se com a túnica.

Alongou os olhos e lá, na praia, estava o Mestre.

A circulação em descompasso provocava-lhe tonteiras e todo ele era uma canção de indizível alegria.

Não esperou que o barco se aproximasse da praia. Atirou-se às águas.

Quando os outros chegaram com os peixes, o Amigo tomou um, assou-o nas brasas de improvisada fogueira e comeu com eles...

– *Vinde jantar* – dissera com naturalidade.

Repetiam-se as cenas dos dias idos. A distância no tempo murchara e tudo continuava como se nada houvesse acontecido.

Os olhos d'Ele brilhavam mais e havia, naquele rosto outrora impregnado de melancolia, a emanação de um amor como não se pode descrever.

– *Simão, filho de Jonas, amas-me mais do que estes?*

Como O amava! Todo ele se dera à Boa-nova, desde que a Sua voz o chamara a pescar almas no oceano dos homens. Que poderia dizer, naquele instante de excelso conúbio?

– *Sim, Senhor, Tu sabes que Te amo.*

– *Apascenta os meus cordeiros.*

Sentia-se fraco, sabia-se fraco.

Para segui-lO, e somente por isso, abandonara aqueles sítios. Ali nascera, vivia, todo o seu mundo eram aquelas mirradas fronteiras que se podiam abarcar com um lance ousado dos olhos.

Como poderia apascentar ovelhas!?

– *Simão, filho de Jonas, amas-me?*

A interrogação fora levemente assinalada pela tristeza.

Olhou-o com ansiedade. Seria necessário repeti-lo?

– *Sim, Senhor, Tu sabes que Te amo.*

– *Apascenta as minhas ovelhas.*

Imensas as trilhas por onde seguem os pés dos homens, longes as terras em que se encontram. Sentia-se só, sem forças, e triste. Duvidaria o Rabi, da sua dedicação?

– *Simão!...*

A exclamação parecia uma música de cristais que se despedaçassem em granitos.

– *...Filho de Jonas, tu me amas?...*

– *Senhor, Tu sabes tudo* – não pôde dominar as lágrimas espontâneas. – *Tu sabes que eu Te amo, que Te dei a vida; Tu, que tudo sabes.*

– *Apascenta as minhas ovelhas.*

Digo-te, Simão, que, quando eras mais moço, cingias-te a ti mesmo e andavas por onde querias; mas, quando já fores velho, estenderás as tuas mãos, outro te cingirá e te levará para onde não queiras.

Voltou-lhe à mente aquela noite cruel, noite de insanidade.

Três vezes o Mestre o inquirira, três vezes o apontaram antes...

– *Não és também dos discípulos deste homem?* – interrogara-o à porteira da casa do sumo sacerdote.

– *Não sou* – gritara quase inconscientemente.

Um peso terrível caiu-lhe sobre as têmporas inflamadas. Quis correr e gritar: – *Não somente O conheço, amo-O também* – não foi possível fazê-lo.

Misturou-se aos demais com a mente obnubilada, quando as labaredas clarearam o seu rosto e lhe disseram, identificando-o:

– *Não és, também, um dos Seus discípulos.*

Cólera surda *estourou* no âmago do seu Espírito inquieto e falou com ressentimento, sem poder conter-se:

– *Não sou, nunca O vi...*

Oh, céus! Estava louco. Como podia negar o Rabi! Que força dominava sua fraqueza?

Saiu amargurado, sem coragem para sobreviver a tanto desequilíbrio, quando outro servo do sumo sacerdote o inquiriu:

– *Não te vi eu no horto com Ele? Não és amigo d'Ele.*

– *Não* – revidou com profunda mágoa. – *Nunca O vi!*

Fora demais a sua dor, agora que cantara o galo, triste, cronometrando a sua perfídia.

Parecia ver aqueles olhos fitando-o tristemente.

Ele mesmo dissera antes: – *Por ti darei a minha vida.*

– *Negar-me-ás três vezes antes que cante o galo.*

Inesquecível fora a modulação da Sua voz.

Achara impossível. Como poderia o Mestre vaticinar tão rigoroso e nefando decesso da sua fidelidade!?

E caíra, três vezes, embora o amasse.

Sabia-se fraco, nunca, porém, se supunha fraco a tal ponto: trair, fugir, negar!

Não ignorava a interferência das *forças do mal.* A elas se referira o Mestre por diversas vezes, conclamando à oração e à vigilância.

Sabia que eles seriam alvo, mil vezes, de tais agressões. No entanto, fora ele, a enganar-se, obsidiado, momentaneamente, como um grito de incomparável alerta para todas as horas.

Antes, dormira de estranha exaustão, no horto...

...E estas três indagações não seriam, por acaso, para aprofundar nos painéis da sua mente os vínculos do seu dever?!

O Rabi levantou-se e chamou-o a instruí-lo quanto à dedicação junto às ovelhas perdidas nos ínvios caminhos da Terra.

Desatrelar-se do carro das paixões e *morrer* para todos os tipos de ansiedade, mantendo somente uma paixão: imolar-se pela felicidade de todos.

João seria poupado, certamente. Ficaria a cantar a Mensagem com a vibração melodiosa do seu exemplo formoso, como harpa divina dedilhada por vigorosa e ignota mão.

Ele, porém, deveria verter o pranto de fel e recompor os caminhos, até que outras mãos tomassem das suas mãos e as cingissem com cordas...

Exultou intimamente.

Poderosa, estranha força, emanando do Benfeitor, dominava-o.

Subitamente compreendeu tudo quanto antes não entendera.

Doçura e meiguice infiltravam-se no seu ânimo. De compleição moral severa, sentia-se enérgico e terno naquele instante e tudo faria para manter-se assim...

Na mente em festa, desfilaram aqueles quase três anos de convívio. Pareciam um curso que o Mestre viera ministrar-lhes, a eles, discípulos ignorantes e simples. E os últimos dias em que parecia Ausente e O sentiam poderosamente Presente, significavam o adestramento intensivo para a lavoura de comunhão com os homens.

– *Quem dizem os homens ser o Filho do Homem?* – recordou-se da indagação eloquente com que os honrara a todos meses atrás.

– *Dizem uns, que tu és João Batista* – responderam com segurança. – *Outros afirmam que és Elias e outros Jeremias, ou algum dos profetas reencarnado...*

– *E tu, quem dizes que eu sou?*

O dia colorido, rubro de Sol, era uma tela de incomparável beleza, uma pauta musical, aguardando as notas de inconfundível melodia.

– *Eu afirmo que "Tu és o Cristo, o Filho de Deus Vivo", Aquele que todos esperamos.*

Era como se estranha voz falasse pela sua voz, por sua boca...

– *Bem-aventurado és tu, Simão bar Jonas, porque não te revelou a carne nem o sangue.*

Eu te digo, Pedro, sobre esta pedra, esta verdade, verdade que acabas de proclamar, eu erguerei a minha Igreja, a igreja da verdade e da revelação do Mundo invisível, porque não foste tu a falar, "mas o Pai que está nos Céus"... e as forças do mal não prevalecerão contra ela, porque é a igreja da informação da Verdade revelada.

Ele falara com o sopro do Pai, fizera-se medianeiro do Altíssimo.

Os companheiros fitaram-no, comovidos, e mesmo a balsamina singela do campo desatou aroma, balsamizando o ar.

Logo depois, acoimado por súbito receio quanto aos padecimentos que o amigo sofreria, constrangera-O a ponto de Ele exortar:

– *Afasta-te de mim, Satanás, que me escandalizas. Não compreendes as coisas de Deus e temes, pensando nas humanas.*

Sem compreender, inquirira-O logo depois, e Ele esclarecera:

– *É necessário vigiar. Quando exclamaste a meu respeito foste medianeiro da Luz Imarcescível, para depois fazer-te veículo das Trevas.*

Compreendera, então, a dualidade do bem e do mal, a incessante luta pela qual se afadigava o Mestre.

A morte, não ceifando a vida, é veículo que conduz e guarda os que são colhidos como são, com o que têm, permanecendo como eram, como preferiam nos dias da experiência carnal...

Conhecera o Rabi quando os desencantos da vida lhe encaneciam os primeiros cabelos.

Acostumado às fainas do mar, aprendera a respeitar a Lei e os Profetas. Entendia pouco, no entanto, as sutilezas e discussões que tomavam todo o tempo na Sinagoga, como os argumentos de que eles se utilizavam para perseguirem e malsinarem os já afligidos e atormentados em si mesmos.

Os sacerdotes e levitas, conhecia-os. Ostentavam a brancura dos trajes, mas conservavam negros e sujos os espíritos e os corações.

Atendia aos deveres frios do culto religioso por hábito, sem qualquer emoção, amando, porém, aquele povo sofredor das aldeias ribeirinhas e das praças, das praias e dos caminhos; povo, como ele, igualmente sofredor, sem esperança.

Quando o Rabi passeara os Seus olhos sobre a dor da multidão e a Sua voz acenara esperanças, na praia formosa, chamando-o, levantara-se para segui-lO, esquecido de tudo.

Somente voltava às redes nos intervalos das jornadas ou para atender aos companheiros, socorrendo as necessidades do grupo.

Todas aquelas noites foram povoadas de esperança e todos os dias estavam assinalados de luz.

As pequenas desinteligências entre os companheiros, o Rabi as sabia apaziguar.

– *Que vínheis discutindo pelos caminhos?* – vibravam as recordações. Já eram os últimos tempos.

– *Discutíeis* – perguntou, amargurado, o Mestre, que os aguardava –, *discutíeis qual dentre vós é, perante mim, o maior? Eu vos digo, porém, que o maior seja o servo de todos...*

Que lição estranha e profunda! Que acuidade do Rabi!

Repassavam a visão do lago e o seu temor, a tempestade apaziguada, o pagamento do tributo... todas as evocações se faziam miraculosamente redivivas em seu cérebro excitado.

Como lhe fora difícil, antes daquela hora, compreender as sutilezas da Sua mensagem.

Era, de fato, *Cephas*, *Petra*, calhau ou pedra, *cabeça-dura*. Não possuía sutileza para as questões do espírito.

Rocha ou pedra, apelido que o Mestre lhe dera, significaria que seriam tão firmes a sua fé e abnegação, que se compararia à força e rigidez da pedra? Não poderia afirmá-lo.

Desde a Ressurreição, todavia, aclaravam-se os painéis e as recordações ofereciam-lhe soberana lucidez.

– *Eis que deixamos tudo para seguir-Te. Que lucraremos com isto?* – era o homem rude.

– *Explica-nos esta parábola* – era o espécime avançado da ignorância.

– *Ensina-nos a orar* – já a pedra se cindia ante a luz.

No Tabor, egoisticamente, sugerira fossem levantadas tendas para eles...

– *Sim, Senhor, sabes o quanto te amo. Desejava permanecer-Lhe fiel e dar-se...*

Agora sentia a sabedoria d'Ele iluminar o seu amor, diferenciando o trivial do sublime, o trágico do que é superficial.

– *Eu te seguirei...*

– *Simão, filho de Jonas, tu me amas?* – ribombava na mente.

– *Sim, Tu sabes que eu te amo!*

Estava desde agora inilludivelmente estreitado ao Rabi, entregue aos Seus cordeiros.

Dias depois viu-O ascender, entre as lágrimas da saudade e da gratidão profunda.

Desceu de Betânia a Jerusalém e foi apascentar os cordeiros do Seu rebanho...

Na Casa do Caminho, ou na estrada de Jopa, ou em Antioquia, no mundo Mediterrâneo, ou em Roma, a veneranda figura de Simão Pedro foi a pedra angular da Igreja de Jesus para a Humanidade, o emérito missivista da arregimentação da fé e da esperança até o momento em que, na Babilônia, com Paulo, ampliando e mantendo os horizontes da fé viva, "outras mãos cingiram suas mãos"... e o levaram ao testemunho. Foi o discípulo por excelência – Simão Pedro: pedra e pastor – que se levantou do engano para viver Jesus até o último instante, apascentando os cordeiros do Seu rebanho de amor...

20

JESUS

E eu, quando for levantado da terra, todos atrairei a mim.
(João, 12:32)

Enquanto fulguravam em ouro os raios do Astro-rei, banhando a Natureza de incomparável festa de luz, foram pronunciadas as últimas palavras, ditas as instruções finais e significativas, e delineadas as rotas para as tarefas do futuro. Nimbado por indefinível claridade, Ele ascendeu lentamente ante a explosão de lágrimas dos companheiros e as esperanças de redenção pelo trabalho no porvir.

A montanha, na Betânia, diminuía; os horizontes do mundo se ampliavam e os Seus olhos banhavam de ternura o fecundo campo de trabalho, onde as flores do amor deveriam desabrochar através dos tempos, sob Sua inspiração.

Convivera entre aquela gente simples, estabelecendo as bases da edificação fraterna para os Espíritos.

Apagara-se para ministrar humildade e descera para melhor servir.

Dispensara intermediários nos seus planos e viera, Ele mesmo, participar dos mínimos preparativos, demorando-se cada dia e a todo instante no mais acendrado desvelo, de modo a infundir pelo exemplo as lições firmes do dever e da abnegação.

Prevendo as consequências políticas, sociais e espirituais da Sua Mensagem na História dos tempos, podia divisar, desde já, as legiões dos que se deixariam sacrificar e seviciar, permanecendo fiéis aos postulados da Verdade até a morte infamante...

Assim pensando, o Rabi inundou-se de inusitada alegria.

Os conquistadores preparavam soldados e mercenários, infundindo o terror, e utilizavam-se das estratégias bélicas estabelecidas pela impiedade, pela espionagem, pela traição. Combatiam corpos, espoliavam cidades, esmagavam as aspirações dos povos enfraquecidos...

Ele chegara anônimo e partira espezinhado. Legara, porém, aos que ficaram confiantes, a armadura da paciência, as armas do amor e a estratégia do bem incessante e infatigável.

O campo talvez ficasse muitas vezes juncado de cadáveres... cadáveres dos seus legionários que se dariam ao sacrifício, mas que jamais sacrificariam outrem.

Oferecera-lhes os instrumentos desconhecidos, até então, da concórdia e da mansidão, e inaugurara um estranho e singular modo de combater: o combate da não violência.

Para Ele, por essa razão, no entanto, aparentemente não houve lugar... Todavia, das lições vivas e incorruptíveis do Seu amor brotaram bênçãos, e o punhado de Espíritos revestidos pelas vestes carnais que ficavam na retaguarda paulatinamente alcançariam os altos e inamovíveis objetivos a conquistar logo mais.

Eram singelo pólen, que, entretanto, fecundaria a Humanidade inteira, venceria as distâncias e os tempos.

No infinito das horas chegaria o momento da comunhão final com os amados e o triunfo total sobre as misérias que convulsionavam as mentes e os corações.

Recordou-se daqueles homens e mulheres arrancados dos seus quefazeres diários para a incomparável jornada do socorro fraternal. Nem eles mesmos se aperceberam da significação profunda do "abandonar tudo e segui-lO". Acarinharam, meses a fio, estranhas e ingênuas esperanças; lutaram entre si, disputando primazia; sonharam quiméricos triunfos; aspiraram a honrarias banais... Agora, lentamente, aclaradas as interrogações que perturbavam a faculdade de raciocinar e nublavam os seus sentimentos vacilantes, podiam pressentir a elevada responsabilidade de que se encontravam, por fim, investidos.

Sairiam pela Terra qual discreto perfume de poderosa impregnação e, por onde passassem, sem o perceberem, deixariam sinais inapagáveis.

Escolhera-os de diversas procedências, corações comprometidos com os vários misteres do dia a dia.

A uma mulher habituada aos coxins de sedas e à sedução, oferecera valor e forças para, renovada, ser exemplo vivo da vitória do Espírito sobre a carne putrescível.

Tocara jactancioso "doutor da Lei", ensejando-lhe penetração profunda no complexo mecanismo dos renascimentos purificadores.

Acenara a um administrador fiel as esperanças do Reino, restituindo-lhe a filha enferma, em eloquente atestado sobre o valor da saúde espiritual...

Confundira com o verbo simples e as atitudes desataviadas os hipócritas e mentirosos, os enganadores e os que se compraziam na malversação dos valores de toda natureza.

Os amigos, íntimos comensais de toda a hora, escolhera-os entre as funções modestas do povo, adestrando-os em regime de austera disciplina e incessante afeição para as lutas intermináveis da dedicação sem limite...

Sabia que a Sua voz, eles a levariam cantando, suarentos e trôpegos, mas resolutos e conscientes, a todos os Espíritos lenindo as terríveis ulcerações, que minavam o organismo da Humanidade.

As mãos da cupidez e da criminalidade se levantariam, todas as torpezas seriam arregimentadas, as mais infames armas seriam utilizadas contra, enquanto eles ficariam fiéis ao Seu testemunho, percorrendo a Terra.

Podia vislumbrar as labaredas e as cruzes, os animais e os gládios, as crueldades ímpares e as perseguições implacáveis que movimentariam contra eles, sem lhes diminuírem o ânimo, nem lhes quebrantarem a coragem, pois que se sustentavam na Igreja da Revelação assentada na rocha da Verdade, com a argamassa do Seu sangue e o selo da Sua Ressurreição, ficando reservado ao futuro o resultado do Seu exílio por amor...

O cordeiro confraternizaria com o *lobo* e o joio cederia lugar ao trigo, enflorescendo a gleba humana com as bênçãos da paz integral.

"Glória a Deus nas alturas, paz na Terra, boa vontade para com os homens" – entoavam as vozes angélicas, saudando o Rei excelso que chegava ao sólio do Altíssimo.

O Divino Amigo, além da esfera de sombras em que ficaram os homens embrulhados em paixões e ansiedades, com o Espírito túmido de confiança, abriu os braços e todo harmonia balbuciou, pensando naqueles que O seguiram através dos tempos:

"Pai Nosso, que estais no Céu...", e retornando ao seio d'Aquele que O enviou, sem se apartar, porém, dos lutadores da retaguarda terrena, até a "consumação dos evos.

Desde então o sofrimento e a dor encontraram amparo em débeis mãos que se fortalecem ao contato do trabalho cristão.

Por onde passe a hidra da guerra semeando cadáveres e destruição, seguem empós corações abnegados, atendendo a viuvez, a orfandade, o abandono e a miséria.

Não mais a impiedade se instalou na Terra nem a perseguição conseguiu pleno triunfo.

Em toda parte Ele tem estado presente, e o simples enunciado do Seu nome é vigoroso estímulo para a liberdade e a paz do espírito.

Não triunfando no mundo, Jesus venceu todas as vicissitudes e estabeleceu as balizas do Novo Mundo da Humanidade Feliz, em cuja construção estamos unidos todos nós, desencarnados e encarnados, no exercício da aprendizagem e vivência evangélica.

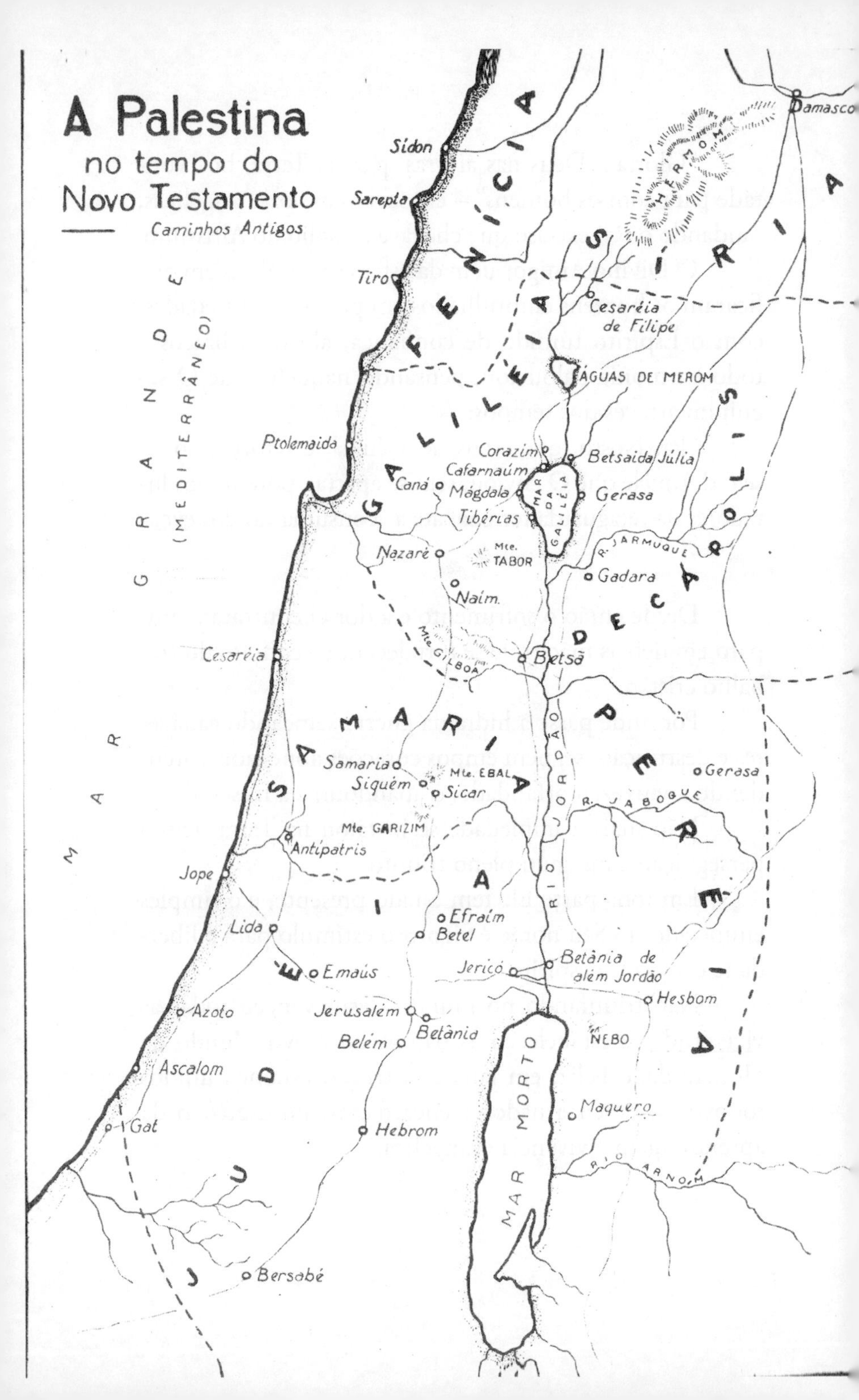

A Palestina
no tempo do
Novo Testamento
Caminhos Antigos
MAR GRANDE
(MEDITERRÂNEO)
FENÍCIA
GALILÉIA
SAMARIA
JUDÉIA
SÍRIA
DECÁPOLIS
PERÉIA
HERMOM
Damasco
Sídon
Sarepta
Tiro
Cesaréia de Filipe
ÁGUAS DE MEROM
Ptolemaida
Corazim
Betsaida Júlia
Cafarnaúm
Caná
Mágdala
MAR DA GALILÉIA
Gerasa
Tibérias
R. JARMUQUE
Nazaré
Mte. TABOR
Gadara
Naím
Mte. GILBOA
Cesaréia
Betsã
RIO JORDÃO
Samaria
Mte. EBAL
Siquém
Sicar
Gerasa
R. JABOQUE
Mte. GARIZIM
Antipatris
Jope
Efraím
Lida
Betel
Jericó
Betânia de além Jordão
Emaús
Hesbom
Azoto
Jerusalém
Betânia
NEBO
Belém
Ascalom
MAR MORTO
Maquero
Gat
Hebrom
RIO ARNOM
Bersabé

POSFÁCIO

O Evangelho – a Nova ou a Boa-nova – é a mais expressiva história de uma vida, através de outras vidas, iluminando a vida de todos os homens. É a história de um Homem que se levanta na História e faz-se maior do que a História, dividindo-a com o Seu nascimento, de modo a constituir-se o marco rutilante dos fatos do pensamento universal.

Esta, a mais significativa história jamais narrada, encontra-se, todavia, sintetizada em *O Novo Testamento*, modesta obra de pouco mais de trezentas e cinquenta páginas, grafada por duas testemunhas pessoais de todos os acontecimentos, Mateus e João, e confirmada pelos depoimentos de outras que conviveram com Ele, tais como Pedro – que pede a Marcos para escrevê-la para os romanos recém-convertidos – e Lucas, que a recolhe de Paulo, o chamado da estrada de Damasco, de Maria, Sua mãe, de Joana de Cusa, de Maria de Magdala e de outros, escrevendo para a grande massa dos gentios conversos. Outros depoimentos de conhecedores e participantes diretos reaparecem nas Epístolas para culminar na visão do Apocalipse.

Ao todo, vinte e sete pequenos livros constituídos por duzentos capítulos e sete mil novecentos e cinquenta e sete versículos, em linguagem simples: quatro narrativas evangélicas, um Atos dos Apóstolos (atribuído a Lucas), catorze Epístolas de Paulo,[45] uma de Tiago Menor, duas de Pedro, três de João, uma de Judas (Tadeu) e o Apocalipse de João.

Discutidas e examinadas séculos a fio, foram, no entanto, fixadas pelo Concílio de Trento (1545-1563), que lhes reconheceu a autenticidade, após compulsados os documentos históricos, constituídos pelos fragmentos das primeiras cópias manipuladas pelos cristãos decididos dos dias seguintes aos discípulos que fundaram as igrejas então florescentes...

Embora as pequenas variantes de narrativas – o que se lhes dá o testemunho inconteste da opinião pessoal dos escritores – através dos quatro evangelistas, a história do Filho do Homem é uma só.

Mateus (Levi) escreveu-a para os israelitas que se cristianizaram, comparando a Boa-nova com os Textos Antigos e utilizando-se das figuras comuns ao pensamento hebreu.[46]

Marcos, também chamado João, filho de Maria de Jerusalém, em cujo lar os cristãos se reuniam e onde o apóstolo Pedro, libertado do presídio, foi acolhido, conheceu de perto as lides apostólicas junto a Paulo e Barnabé, dos quais se afastou em Perge, na Panfília, retornando a Jerusalém, tendo sido convocado, mais tarde, pelo próprio

45. A Epístola aos hebreus, no Concílio de Trento, foi atribuída ao apóstolo Paulo, enquanto o de Cartago supunha-a de autor ignorado. Preferimos a primeira assertiva.

46. Papias (75-150) informava que Mateus apresenta no seu Evangelho "os ditos do Senhor."

Pedro, à sementeira em Roma, em cuja ocasião grafou a sua narrativa.[47]

Lucas, recém-convertido por Paulo, residiu em Cesareia, no lar do diácono Filipe, de quem, emocionado, escutou a narrativa oral dos acontecimentos, bem como, em Jerusalém, ouviu os mesmos fatos contados por Tiago Menor. Erudito, nascido em Antioquia, de cultura helênica, é o narrador deslumbrado e comovido dos feitos e palavras de Jesus. É o mais lindo dos quatro Evangelhos, impregnado da mansuetude do Cordeiro. Escrevendo ao "excelente Teófilo", é dedicado à grande grei dos gentios, arrebatada pelo verbo candente de Paulo, seu mestre.[48] Prosseguirá escrevendo, mais tarde, os Atos dos Apóstolos com o seu inconfundível estilo.

João, o discípulo amado, místico por excelência, escreveu para os cristãos que já conheciam a Mensagem com segurança. Aprofundou a sonda reveladora e adentrou no colóquio do Mestre com Nicodemos, sobre o *novo renascimento*, de cujo colóquio, possivelmente, participara como ouvinte. Começa o seu estudo com a transcendente questão do Verbo e o encerra no Apocalipse, com a fulgurante visão medianímica de *Jerusalém libertada*. O seu é o Evangelho espiritual.

Escritos inicialmente na língua falada por Jesus, o arameu, excetuando-se provavelmente Lucas, logo foram traduzidos para o grego, corporificando o pensamento do Mestre, que se dilataria por toda a Terra...

47. Marcos, que servia de intérprete a São Pedro, registrou com exatidão, ainda que não pela ordem, palavras e obras de Jesus.
48. Dante afirmava que Lucas "é o escriba da mansidão de Jesus" (notas da autora espiritual).

A mais comovente história que já se escreveu.

O maior amor que o mundo conheceu.

O exemplo mais fecundo que jamais existiu.

A vida de Jesus é o permanente apelo à mansidão, à dignidade, ao amor, à verdade.

Amá-lO é começar a vivê-lO.

Conhecê-lO é plasmá-lO na mente e no coração.

A vida que comporta a história da nossa vida – eis a Vida de Jesus!

A perene alegria, a boa mensagem de júbilo – eis o Evangelho!

GLOSSÁRIO

A	
Abjeto	Imundo, desprezível, ignóbil.
Ablução	Ato de lavar-se, lavar as mãos, o rosto ou o corpo.
Acendrado	Apurado, purificado, acrisolado.
Acepipes	Petiscos (figos, passas).
Acoimado	De acoimar – castigar, punir, censurar, repreender, acusar, incriminar.
Acuidade	Agudeza de percepção, perspicácia, finura.
Admoesta	De admoestar – advertir, censurar, repreender.
Adobe	Tijolo de argila crua secado ao sol.
Aduana	Alfândega.
Adufe	Tipo de pandeiro quadrado de origem árabe, feito de madeira leve com membranas retesadas de ambos os lados.
Adusta	Queimada, ressequida, quente, ardente.
Afásico	Sem voz, que não fala.
Ajaezado	Animal (cavalos, muares) com todos os seus arreios e enfeites.
Alabastro	Vaso em forma de pera, usado na Antiguidade para guardar unguentos e perfumes; rocha muito branca, translúcida, de baixa dureza, finamente granulada, constituída de gipsita.
Alacridade	(Álacre) – Alegria, vivacidade, jovialidade.
Alaúde	Antigo instrumento de corda em formato de meia pera.
Alcandorada	Elevada, sublimada, exaltada.
Alcatifando	De alcatifar – atapetar, revestir com alcatifa (tapete, alfombra).
Alentavam	De alentar – encorajar, dar alento, ânimo, coragem.
Alento	Hálito, coragem, ânimo, sustento.
Algaravia	Linguagem confusa, incompreensível.
Algidez	Muito frio, gélido, glacial, álgido.
Algoz	(Do árabe *al-gozz*) – Carrasco, verdugo, pessoa cruel.
Aliciam	De aliciar: atrair, seduzir, incitar, instigar, subornar.

Alísio	Diz-se de ou vento que sopra durante todo o ano sobre extensas regiões do globo, das altas pressões subtropicais em direção às baixas pressões equatoriais; alisado, alíseo, aliseu.
Aljofraram	De aljofrar: salpicar com pequenas gotas, gotejar, lacrimejar.
Almotolia	Pequeno recipiente de feitio cônico para azeite ou outros líquidos oleosos.
Alpendre	Cobertura externa que dá acesso ao interior de uma casa, varanda.
Alquebrado	De alquebrar: curvar, dobrar, prostrar.
Alqueire	Antiga medida de volume para grãos de ± 36 litros (dividido em 4 partes de 9 litros), media-se a quantidade em cestos com tal capacidade.
Altear	Elevar, tornar mais alto.
Altivez	Nobreza, brio, orgulho.
Alva	Primeiras claridades do alvorecer.
Alvinitente	Alvura imaculada, brancura.
Alvitrou	De alvitrar: aconselhar, propor, sugerir.
Amanhar	Cultivar, lavrar, agricultar.
Amealhara	De amealhar: economizar, poupar.
Amenidade	Bem-estar, deleite, agrado, delicadeza, cortesia.
Anelava	De anelar: desejar ardentemente, aspirar a.
Anêmonas	Gênero de plantas ornamentais com flores de cores variadas.
Anfractuoso	Que apresenta anfractuosidade, saliência, depressão ou sinuosidade irregulares.
Apanagiadas	Com atributos característicos.
Aparato	Ostentação, magnificência, luxo, pompa.
Aprouve	De aprazer: causar prazer, agradar.
Apupo	Vaia, gritaria para insultar.
Aranzel	Arenga, lenga-lenga, falatório.
Arauto	Emissário, mensageiro.
Archote	Facho que se acende, tocha.
Arquejante	Que apresenta respiração difícil, ofegante.
Arrebatado	Impetuoso, exaltado, que se deixa levar pelos sentimentos sem medir as consequências.
Arroio	Pequeno curso d'água, riacho.

Arrotear	Cultivar (terreno inculto).
Ascese	Esforço na conquista da virtude, da plenitude da vida moral.
Ascetismo	Doutrina que orienta a busca da virtude, da elevação moral.
Assolar	Arrasar, devastar, destruir, arruinar.
Atezanar	Atormentar; afligir.
Átimo	Instante, momento, em curto espaço de tempo.
Atoleimado	Abobalhado, apatetado.
Atônito	Espantado, estupefato, pasmo, atordoado.
Atrabiliário	Propenso a se encolerizar, irascível.
Atroada	Grande ruído, estrondo.
Atrocidade	Crueldade, barbaridade, impiedade, qualidade de atroz.
Áulico	Cortesão, palaciano.
Auspício	Patrocínio, promessa, voto.
Austeridade	Severidade, rigor.
Avassalar	Imperar, dominar, oprimir.
Avatares	(Avatar) – Reencarnação de um deus (sânscrito), transformação, transfiguração.
Ávido	Que deseja ardentemente, sôfrego, esfaimado, sedento, sequioso.
Azáfama	Afã, trabalho muito ativo, pressa.

B

Bagas	Gotas.
Bajulador	Que bajula, adulador, chaleira, incensador.
Balsamina	Planta que produz bálsamos, líquidos aromáticos espessados de agradável perfume.
Bálsamo	Líquido aromático e espesso que flui de certas plantas e apresenta propriedades medicinais de suavizar e amenizar feridas, perfume, aroma.
Belzebu	(Do hebraico *ba'al zebuh*) – O príncipe dos demônios.
Biga	Carro romano de duas rodas, puxado por dois cavalos.
Biótipos	(Biotipos) – Conjunto de indivíduos cujos patrimônios genéticos muito se assemelham, assemelhados, do mesmo tipo.

Brandura	(Brando) – Meiguice, doçura, mansidão, suavidade, afabilidade.
Bulha	Confusão de sons, barulho, gritaria, desordem.
Bulício	Sussurro ou murmúrio contínuo, burburinho.

C

Cabeços	Cumes arredondados dos montes.
Cabedal	Patrimônio, riqueza, acervo.
Cairel	Borda, beira.
Calceta	Argola de ferro no tornozelo, prisioneiro, pena de trabalhos forçados, indivíduo condenado à calceta, grilheta.
Campear	Procurar, ostentar, alardear, sobressair, levar vantagem.
Candeia	Lamparina com óleo para iluminar.
Candente	Ardoroso, arrebatado, que está em brasa.
Canga	Opressão, sujeição, jugo.
Canícula	Grande calor.
Canoro	Harmonioso, suave.
Cantochão	Canto litúrgico que remete à monotonia.
Capitoso	Que entontece, embriaga.
Caracteres	Elementos individualizadores de uma pessoa, animal ou coisa.
Cardo	Planta que é praga das lavouras.
Catadupa	Jorro, derramamento em grande quantidade, queda d'água.
Catalepsia	Sono profundo com rigidez muscular, sono hipnótico.
Catre	Leito tosco e pobre, grabato.
Ceifa	Ato de ceifar, sega, colher com foice, colheita.
Celeremente	De modo célere, rapidamente.
Célica	Celeste, celestial.
Cendal	Tecido fino e transparente, véu.
Cerne	Âmago, a parte mais íntima, essencial.
Chã	Terreno plano, planície. Fig.: pessoa ou atitude baixa, rasteira.
Chafurdado	De chafurdar: atolar, afundar, perverter.

Charneca	Pântano.
Charrua	Arado grande de ferro.
Chicana	Ardil, astúcia, tramoia.
Chicanar	Provocar dificuldades por capricho ou má-fé, perturbar, piorar.
Chocarrice	Gracejo atrevido.
Ciciar	Produzir ruído fraco e contínuo; sibilar levemente; rumorejar, murmurejar.
Címbalo	Instrumento antigo de percussão constituído de dois pratos metálicos côncavos.
Cindir	Separar, dividir, cortar.
Cingir	Envolver, rodear, cercar, vestir-se.
Cirene	Antiga colônia (cidade) grega na cirenaica – norte da Líbia, na África.
Cireneu	Natural de Cirene; aquele que auxilia.
Cítara	Instrumento de cordas aperfeiçoado da lira.
Coadunar	Harmonizar, combinar, conformar.
Coleia	Serpentear, mover sinuosamente.
Cômoro	Elevação de terreno, dunas.
Complacência	Agrado, benevolência, condescendência.
Comezinho	Fácil de entender; simples.
Concitar	Estimular, instigar, incitar.
Conúbio	União, ligação, aliança, casamento.
Cordato	Que está de acordo, prudente, sensato.
Cordura	Caráter de cordato, prudência, sensatez.
Corifeu	Pessoa que se destaca em uma arte, profissão ou categoria.
Coriscar	Brilhar como corisco, faiscar.
Crepúsculo	Luminosidade crescente ao amanhecer (crepúsculo matutino) ou decrescente ao anoitecer (crepúsculo vespertino).
Crestado	Seco, queimado, tostado.
Crispado	De crispar: contrair, encolher.
Crótalo	Antigo instrumento musical semelhante a castanholas.
Cupidez	Desejo, cobiça.

D	
Decair	Abater-se, enfraquecer.
Decesso	Rebaixamento, diminuição.
Dédalo	Labirinto, emaranhado, cruzamento confuso de caminhos.
Demandar	Mover-se em direção a; encaminhar-se.
Desalinho	Perturbação de ânimo, desordem.
Desassisado	Louco, desatinado, sem juízo.
Desataviado	Despido, sem adornos.
Desatrelado	Desprendido, desengajado, solto, acelerado, descompassado.
Descerrar	Abrir, descobrir, descortinar.
Desconcerto	Desordem, desarranjo, transtorno.
Desconexo	Desunido, incoerente.
Descoroçoamento	Desânimo, falta de coragem e ânimo, desalento.
Desdita	Infelicidade, desgraça, desventura.
Desenvoltura	Desembaraço, facilidade, agilidade, presteza.
Desfaçatez	Falta de vergonha, cinismo, descaramento.
Desídia	Preguiça, indolência, negligência, descaso.
Desnastrar	Destrançar, desentrançar.
Despotismo	Poder absoluto e arbitrário.
Devaneio	Capricho da imaginação, fantasia, sonho, quimera.
Diácono	(Do grego *diákonos*, ou "servidor") – Na Igreja ocidental, clérigo que tem a segunda das três maiores ordens sagradas, aquela imediatamente inferior à de sacerdote, e cuja função é assistir um sacerdote ou bispo, pregar, batizar e distribuir a comunhão.
Diáfano	Que permite a passagem da luz; transparente, límpido.
Díptico	Conjunto de duas placas enceradas e articuladas, usadas na antiguidade para escrever com estilete. Conjunto de duas obras que se completam (duas coisas que se completam), jogo, mensagem.
Discernimento	Faculdade de julgar as coisas clara e sensatamente, critério, tino, juízo.
Disjuntar	Desprender, desligar, separar, desajuntar, desunir, disjungir.

Dossel	Cobertura de flores, copa de verdura.
Dubiedade	Dúvida, incerteza, ambiguidade.

E	
Ébano	Madeira escura e muito resistente.
Efígie	Imagem, figura, retrato (pessoa).
Égide	Escudo, defesa, proteção, abrigo, amparo, arrimo.
Encaneciam	De encanecer: embranquecer aos poucos.
Encetar	Começar, iniciar, principiar.
Engastar	Encravar em ouro e prata, embutir, encaixar, inserir.
Ensejar	Dar oportunidade, ocasião, permitir.
Entenebrecem	De entenebrecer: cobrir de trevas, escurecer, obscurecer, afligir, entristecer.
Entibiar	Enfraquecer-se, perder entusiasmo.
Enxerga	Colchão rústico, cama pobre, catre.
Equimose	Mancha na pele, de coloração variável, produzida por extravasamento de sangue.
Ergástulo	Cárcere, calabouço, masmorra.
Escalracho	Erva daninha às plantações.
Escárnio	Menosprezo, desprezo, desdém, zombaria.
Escudela	Tigela de madeira.
Escumilha	Tecido muito fino e transparente de lã ou de seda, gate.
Esfaimado	Faminto, esfomeado.
Esfuziante	Muito alegre, comunicativo, vivaz, radiante, irradiante.
Esgar	Gesto de escárnio, careta, carantonha.
Esguelha	Olhar de lado, soslaio, través.
Esparzir	De espargir: espalhar, irradiar, disseminar.
Espezinhar	Desprezar, rebaixar, humilhar, oprimir, tiranizar.
Esplendente	Resplandecente.
Estádio	Antiga medida de comprimento, que equivale a 125 passos (1 passo = 5 pés = 1,65 m). Medida atual = 206 metros.
Estertorada	De estertorar – roncar, ressonar, falar com voz rouca e crepitante.
Estela	Coluna ou placa de pedra em que os antigos faziam inscrições.

Estigmatizado	De estigmatizar – marcar.
Estiola	De estiolar: definhar, debilitar, enfraquecer.
Estoicismo	Doutrina filosófica grega do séc. III a.C., que prega o equilíbrio moral e a busca da felicidade, tranquilidade, serenidade (ataraxia). Visa também à resistência ante a dor e a adversidade.
Estoico	Austero, rígido, impassível ante a dor e a adversidade, valoroso.
Estremunhado	Que despertou ainda estonteado de sono, mal desperto.
Estrugem	De estrugir: estremecer com estrondo, estrondear, atroar.
Estuar	Pulsar, arder, que vibra, que se aquece.
Estuante	Vibrante, pulsante.
Estugando	De estugar: apressar, aligeirar.
Etnarca	Governador de província.
Evo	Duração sem fim, longo período de tempo.
Exangue	Sem sangue, exausto.
Exânime	Desmaiado, desfalecido, aparentemente morto.
Excelsitude	Qualidade do que é excelso, alto, elevado, sublime, admirável.
Excerto	Trecho, fragmento, extrato.
Execrando	Detestável, abominável, amaldiçoado.
Exegese	Interpretação minuciosa de um texto.
Exéquias	Cerimônias ou honras fúnebres.
Exórdio	Começo de um discurso, preâmbulo.
Exorou	De exorar: pedir, implorar, invocar.
Exortou	De exortar: encorajar, aconselhar, convencer, persuadir, admoestar.
Expungir	Apagar, eliminar, limpar, isentar, livrar.
Exsudar	Sair em gotas, gotejar.

F	
Faina	Atividade da tripulação de navio, lida, azáfama.
Fanal	Farol, guia.
Farândola	Bando de maltrapilhos, bando, súcia, espécie de dança.

Fascínio	Fascinação, encanto, enlevo, deslumbramento, atração irresistível.
Fastio	Repugnância, aversão, aborrecimento.
Fasto	Registro público de fatos, de obras memoráveis.
Favônio	Vento brando do poente, vento propício, próspero.
Febricitante	Febril, intenso.
Festões	Ramalhetes de flores.
Fez	Cobertura que se ajusta à cabeça, barrete vermelho, gorro.
Fímbria	Franja, orla.
Flux	Fluxo (a flux: a jorros, em grande quantidade, em profusão).
Fotina	Na tradição da Igreja Ortodoxa, a samaritana é conhecida como Fotina.
Fruir	Possuir, gozar, desfrutar.
Fulcro	Sustentáculo, suporte, apoio.
Fúrias	Na mitologia, Alecto, Megera e Tisífone, que no Averno eram as encarregadas de atormentar os criminosos.

G

Galardão	Recompensa por serviços valiosos, prêmio, honra, glória.
Gáudio	Júbilo, alegria, regozijo.
Geena	Inferno, lugar de suplícios.
Gleba	Terreno próprio para cultura.
Grabato	Leito tosco e pobre, catre.
Grilheta	Algema, grilhões, correntes.
Guante	Luva de ferro das armaduras medievais, mão de ferro, autoridade despótica.

H

Haurir	Beber, sorver, aspirar, esgotar, consumir.
Hebdomadário	Semanal.
Hediondo	Horrendo, vicioso, sórdido.

Hidra	Monstro (Hidra de Lerna – serpente de sete cabeças na mitologia grega), ameaça à ordem social, fato que envolve perigo público.
Hidropisia	Acúmulo anormal de líquido seroso em tecidos ou cavidades do corpo.
Hilota	Excluído, marginalizado, pária.
Hipálage	Figura de linguagem que associa palavras com lógica na mesma frase: "No silêncio orvalhado da manhã".
Hipérbato	Inversão da ordem natural das palavras ou das orações, "são como cristais suas lágrimas".
Hipérbole	Figura de linguagem que engrandece ou diminui a verdade das coisas, exagero: "Já lhe disse milhões de vezes".
Hirta	Tesa, retesada, parada, imóvel.
Hosana	Louvor, aclamação, hino religioso.
Hoste	Exército, tropa, bando, multidão.

I	
Idiossincrasia	(Do grego *idiosugkrasía*) – Temperamento particular, modo de se comportar característico, conduta extravagante, excentricidade, esquisitice.
Ignóbil	Baixo, desprezível, vil, abjeto.
Ignota	Ignorada.
Imana	De imanar: imantar, magnetizar, prender, corrigir.
Imanente	Que está presente em, que está contido em.
Imarcescível	Que não murcha, inalterável, incorruptível.
Imiscuir-se	Intrometer-se, tomar parte em algo.
Imolado	De imolar – oferecer em sacrifício, sacrificar.
Impreca	De imprecar – pedir, suplicar, rogar com força e fé.
Imprecação	Rogo, súplica, praga, maldição.
Incipiente	Principiante, no começo.
Incoercível	Que não pode ser coagido, que não se pode coibir, irreprimível.
Indômita	Indomável, invencível.
Inefável	Que não se pode exprimir por palavras, inexprimível, indizível.
Inexaurível	Inesgotável.
Inextricável	(Inextrincável) – Que não se pode deslindar, emaranhado, enredado, confuso, complicado.

Infamante	Que torna infame, desonrado, ignominioso.
Infrene	Desenfreada, desordenada.
Ingente	Enorme, desmedido, estrondoso.
Iniludivelmente	De maneira iniludível, evidente.
Iniquidade	Falta de equidade, de justiça, injustiça, perversidade.
Insânia	Loucura, demência, falta de juízo.
Insculpir	Gravar, entalhar.
Insólito	Anormal, incomum, extraordinário.
Instam	De instar: pedir, solicitar.
Insurreto	Que ou aquele que praticou o crime de insurreição.
Integérrimo	Superlativo de íntegro.
Intemperança	Falta de moderação (de temperança), descomedimento.
Intestina	Interna, íntima.
Inusitado	Não usual, incomum, estranho.
Invectivar	Censurar com violência, increpar, injuriar.
Ínvio	Intransitável, em que não há caminho.
Iriante	Brilhante, cintilante, irisante.

J

Jaça	Defeito, falha, mancha, desonra, mácula, (mancha, impureza em pedra preciosa).
Jactância	Vaidade, ostentação, arrogância, orgulho.
Jaez	Qualidade, espécie, sorte, laia.
Joio	Gramínea tóxica que pode crescer junto aos trigais, coisa daninha, coisa ruim.
Jornaleiro	Que ocorre seguidamente, diariamente; trabalhador remunerado por dia, a cada jornada.
Juncado	De juncar: encher, cobrir, forrar.
Jungir	Emparelhar, juntar.

L

Labéu	Nota infame, mancha, desdouro, desonra.

Lagar	Tanque onde se espremem frutos, como azeitonas e uvas (pedra de lagar – pedra redonda que gira sobre os frutos para esmagá-los).
Lancinava-se	De lancinar: atormentar, torturar, afligir.
Languidez	Qualidade de lânguido, fraqueza, abatimento, debilitação, morbidez.
Lápis-lazúli	(Lazulita) – Mineral azul usado em ornamentação.
Lasciva	Sensual, libidinosa, desregrada.
Lasso	Cansado, fatigado.
Látego	Açoite de correia ou de corda.
Laurel	Prêmio, galardão.
Legatário	Herdeiro.
Lenindo	De lenir – abrandar, suavizar, aplacar, mitigar.
Lenitivo	Calmante, próprio para lenir, abrandar, suavizar, aplacar, acalmar.
Lídimo	Legítimo, autêntico.
Litania	Oração, súplica, ladainha.
Litígio	Pleito, demanda, pendência, luta.
Lobrigar	Ver a custo, ver por acaso, ver ao longe, notar, perceber.
Loendro	Espirradeira, arbusto ornamental com flores róseas.
Lufada	Rajada de vento, ventania.
Lúgubre	Soturno, lamentoso, triste.
Lustral	Que serve para purificar, purificadas.
Luxuriosa	Sensual, libidinosa, devassa.

M	
Macilento	Magro e pálido, descarnado.
Madressilva	Trepadeira ornamental com lindas e perfumadas flores.
Magote	Ajuntamento de pessoas ou de coisas, amontoado, porção.
Malsinada	De malsinar: denunciar, delatar, censurar, condenar, desvirtuar.
Malta	Bando, corja, grupo de pessoas inferiores.
Malversação	Corrupção no exercício de um cargo, ou na gerência de valores, má administração, má gerência.

Marchetadas	Adornadas, matizadas.
Mazela	Ferida, chaga, enfermidade, aborrecimento, desgosto.
Medra	De medrar – crescer vegetando, desenvolver-se.
Meneios	Balanços, oscilações.
Messe	Colheita, aquisição, conquista.
Metempsicose	Doutrina segundo a qual a alma pode reencarnar em espécies inferiores por punição.
Miasmas	Emanações fétidas e tóxicas, como dos pântanos, que se acreditava fossem causa de doenças.
Miríades	Quantidades muito grandes.
Misoneísmo	Resistência à renovação, à mudança de hábitos.
Mister	Ofício, propósito, necessidade, finalidade.
Mordazes	(Mordaz) – Corrosivos, destrutivos.
Mosto	Vinho, vinho em preparo.
Motejo	Zombaria, gracejo.
Musa	Cada uma das nove deusas, filhas de Zeus e Mnemósine, que dominavam a ciência universal e presidiam as artes liberais.

N	
Narciso	Planta ornamental de flores brancas, amarelas ou bicolores.
Nardo	Planta herbácea originária da Ásia, da qual se extrai essência aromática.
Nefando	Abominável, execrável, indigno.
Nefasto	Trágico, sinistro, funesto.
Noctívago	Que vagueia à noite, noturno.

O	
Óbice	Obstáculo, impedimento, embaraço, empecilho.
Ocaso	Desaparecimento de um astro no horizonte a oeste (ex.: pôr do sol), final, queda, ruína.
Ócio	Desocupação, indolência, preguiça.
Onomatopeia	Palavra que imita o som natural da coisa significada, imita sons da natureza (ex.: cocorocó).
Opíparo	Suntuoso, faustoso, esplêndido.

Opróbrio	Desonra, ignomínia, afronta, injúria.
Orgíaco	Que tem caráter de orgia, festas pagãs, bacanais em honra do Deus Baco.
Outorgar	Consentir, aprovar, dar, conceder.

P	
Paiol	Local de depósito de gêneros de lavoura.
Parábola	Narração alegórica que faz comparações de ordem superior.
Partos	Povo da Pártia – reino fundado por Ársaces em 250 a.C., na antiga Pérsia (hoje o Irã).
Pastoral	Composição instrumental ou vocal; a parte cantante remete a sons e cenas pastoris.
Peias	Corda que prende as patas de animais, embaraço, impedimento.
Penedia	Penedos, rochas, rochedos.
Peroração	Epílogo, parte final do discurso, remate, acabamento, fecho.
Pervertido	Perverso, mau, corrompido, depravado, desmoralizado.
Petulante	Atrevido, presunçoso.
Pífaro	(Pífano) – Espécie de flautim, instrumento de sopro com seis orifícios, que emite sons agudos.
Piscoso	Que tem muitos peixes.
Plenilúnio	Lua cheia.
Potro	Instrumento de tortura antigo que produzia o estiramento dos membros do condenado.
Preamar	Maré alta.
Preâmbulos	Parte preliminar, prefácio, prelúdio.
Precito	Réprobo, condenado, maldito.
Prelúdio	Aquilo que precede, prenúncio, iniciação.
Pressuroso	Cheio de pressa, apressado, diligente, atarefado, impaciente.
Presunção	Pretensão, suposição, suspeita, vaidade, orgulho.
Primícias	Começos, primórdios, que vêm em primeiro lugar.
Propínquo	Próximo, vizinho.
Provança	Provação.
Pudicícia	Pudor, honra, pureza.

Pulcro	Puro, belo, formoso, gentil.
Pusilânime	Sem ânimo ou firmeza, indeciso, medroso, covarde.

Q	
Quadriga	Carro puxado por quatro cavalos, usado em corridas romanas.
Querela	Discussão, pendência, queixa.
Questiúncula	Pequena questão, discussão sem importância.

R	
Rabioso	Raivoso.
Rechã	Área de solo plano, planalto.
Redundavam	De redundar – resultar, provir, vir a dar.
Reduto	Recinto, lugar, refúgio.
Refrega	Peleja, briga, luta.
Relance	Com rapidez, rapidamente, de relance.
Remendão	Aquele que faz remendos.
Renque	Ala, fileira, alinhamento.
Réprobo	Condenado, precito, perverso, malvado.
Reprochar	Censurar, exprobrar (exprobar), lançar na face.
Requestado	De requestar: disputar, desejar a posse de, desejar para o amor.
Rescendendo	(Recendendo) – De rescender, exalar.
Ressarcir	Indenizar, compensar, reparar.
Retórica	Eloquência, oratória.
Rincão	Recanto, lugar distante.
Rutilante	Brilhante, resplandecente, esplendoroso.

S	
Sáfara	Agreste, árida, rude, estéril.
Sagaz	Que tem agudeza de espírito, perspicaz.
Salmodia	Modo de cantar ou recitar salmos.
Sarcasmo	Zombaria, escarnecimento.

Sebes	Cercas de arbusto, cercas vivas.
Sedição	Agitação, revolta, motim.
Sega	Ato ou efeito de segar, ceifa, segadura.
Seixo	Calhau, fragmento de rocha, pedra solta.
Selene	A Lua (Selene, a deusa da lua, era filha dos titãs Hipérios e Tea, e irmã da deusa Eos e do deus Hélios).
Selvajaria	(Selvageria) – Grosseria, modos de selvagem.
Senda	Caminho estreito, vereda.
Sequazes	Que seguem ou acompanham, seguidores, partidários, integrantes do bando.
Serra	Qualquer elevação ou proeminência semelhante a monte ou cordilheira.
Setentrional	Refere-se ao norte.
Sicário	(Sica – punhal romano) – Assassino pago, torturador.
Sicômoro	"Ficus sycomorus", ou figueira-doida, espécie de figueira de raízes profundas e ramos fortes, que produz figos de qualidade inferior. Cultivada no Oriente Médio e África há milênios.
Silente	Silencioso.
Sinédrio	O mais alto tribunal judaico em Jerusalém, constituído pelos sacerdotes, anciãos e escribas, que julgava assuntos religiosos e civis – composto de 71 membros.
Sínquise	Inversão de palavras que torna a frase obscura. Ex.: "Ouviram do Ipiranga as margens plácidas de um povo heroico o brado retumbante".
Soberba	Orgulho excessivo, altivez, arrogância, presunção.
Sobranceiro	Que está superior, que domina, acima de, proeminente.
Sôfrego	Impaciente, ávido, sequioso.
Sofreguidão	Impaciência, pressa, desejo, ambição.
Solaus	(Solau) – Antigo romance em verso musicado, poema musicado.
Soledade	Lugar ermo, deserto, solidão, tristeza do abandono.
Solerte	Pessoa sagaz, manhosa ou velhaca.
Sólios	(Sólio) – Assento real, trono, cadeira pontifícia, o poder real.
Suscita	De suscitar – que faz nascer ou aparecer, provocar, promover, levantar.

T	
Talento	Moeda da antiguidade grega e romana.
Tartamudeando	De tartamudear – gaguejar.
Teocrático	Relativo a, ou próprio de teocracia (forma de governo em que o poder é exercido por aqueles que, supostamente, se consideram os representantes de Deus na Terra).
Tergiversar	Procurar rodeios, evasivas, usar de subterfúgios.
Tetrarca	Governador de uma tetrarquia, reino dividido entre quatro reis.
Tétrico	Triste, fúnebre, lúgubre, horrível, medonho.
Tíbio	Fraco, frouxo, morno.
Timbale	Espécie de tambor de uma só pele, de origem árabe, atabale, tambor de cavalaria. Em música, o mesmo que tímpano.
Titânica	Força gigantesca, grandeza enorme.
Títere	Governante que representa os interesses de outro mais forte.
Tolhido	Dificultado, embaraçado, paralisado, impedido, privado.
Tonitruante	Que troveja, que estronda, trovejante, atroador.
Transato	Que já passou, passado, pretérito.
Trasladar	Transcrever, verter, traduzir, transferir.
Travo	Amargor, desagrado.
Tremeluz	De tremeluzir – brilhar com luz trêmula, cintilar, lucilar.
Trepidar	Vacilar, hesitar, titubear, tremer.
Tripudiando	De tripudiar – levar vantagem sobre alguém, humilhar.
Trôpego	Que caminha com dificuldade, vacilante.
Trucidaram	De trucidar: matar barbaramente com crueldade.

U	
Ultriz	Mulher vingadora (ultor – que ou aquele que vinga, vingador), atroz, intenso, profundo.
Ulula	De ulular – gritar, de aflição ou de dor.
Untuoso	Escorregadio, pegajoso, lubrificado.
Usura	Avareza, mesquinharia, ambição.

Usurpação	Ato de apossar-se violentamente de, adquirir com fraude, obter sem direito.
Uxoricídio	Assassinato da esposa pelo próprio marido.

V	
Valado	Vala pouco profunda que cerca propriedades rústicas, trincheiras.
Vândalos	Pessoas que tudo destroem, quebram, arrebentam.
Vão	Sem valor, vazio, fútil.
Várgea	(Várzea/vargem) – Planície fértil e cultivada em um vale.
Vaticinar	Profetizar, predizer.
Vau	Trecho raso do rio para passar a pé ou a cavalo.
Velários	Toldos antigos usados em teatros ou circos para proteger contra a chuva.
Vendilhões	Vendedores ambulantes.
Verbera	De verberar: reprovar, censurar energicamente.
Vetusto	Respeitável pela idade.
Vicissitude	Mudança ou variação na sucessão das coisas, transformação, alteração, eventualidade, má sorte, azar, revés.
Vilmente	De maneira vil, desprezivelmente.
Viridente	(Virente) – Que verdeja, verdejante.
Vitupério	Insulto, injúria, afronta.
Voluptuosas	Com grande prazer, com deleite, deliciosas, sensuais.

Z	
Zerubabel	(Zorobabel) – Líder israelita referido na Bíblia, que conduziu o primeiro grupo de judeus exilados na Babilônia de volta à Judeia, em 539 a.C., por ordem do rei da Pérsia, Ciro.
Zimbório	Cúpula, firmamento, abóbada celeste.